JN062434

エネルギー新時代の夜明け

山地憲治

エネルギーフォーラム

まえがき

本書の目的は３つある。

一つは、近代以降のエネルギーの歴史を振り返ると今は大きな区切りの時ではないかという私の考えを整理することである。書名の「エネルギー新時代の夜明け」は、これを意識している。なぜ新時代なのか、その姿はいかなるものか、朧気ながらも自分の考えを出来るだけ具体的に表現するよう努力したつもりである。

第２は、電気新聞の時評「ウェーブ」に定期的に寄稿している小論など、最近５年ほどで書き溜めた原稿をテーマごとに整理することである。「ウェーブ」の小論については、2015年にエネルギーフォーラム社から出版した「フクシマのあとさき」に2009年９月から2015年５月までの42編が収録されている。今回はその後2020年５月までの41編を収録した。これらに書評など数点を加えて、コラム記事のような形で独立して読めるように本書の中に配置した。なお「ウェーブ」の小論については、2004年に40編を「エネルギー学の視点」として、2009年に46編を「システム思考のすすめ」として、いずれも日本電気協会新聞部より刊行している。これらの本は基本的には小論の集成だったが、今回の本では、題名の「エネルギー新時代の夜明け」の考察を主とし、それに関連する話題として小論を配置して活用している。ただし、考察の論理の中に配置できなかった小論は「備忘録」として末尾に掲載した。

３番目は2020年の誕生日で70歳の古希を迎えた私自身の区切りの記念である。大学院修了以来、電力中央研究所で17年、東京大学で16年、そして現職の地球環境産業技術研究機構（RITE）で

10年、エネルギーシステム工学分野の研究者として仕事をしてきた。数理モデルを使ってエネルギーの諸問題を分析することは私の性分に合っているらしく、いずれの職場でも充実した時間が過ごせたと思っている。しかし、何か重要な発明をしたわけでもなく、モノづくりで社会に貢献したこともない。工学部卒業者として忸怩たる思いがしなくもない。エネルギー問題のシステム分析という私の研究の出口は、エネルギーに関する経営や政策に役立つことだと考えている。本書による愚見の発信もそのための一つのチャンネルである。

目に留まった小論から読み進めて頂いて結構だが、興味が湧けば全体を読み通して、エネルギーの未来に対する私の思いを理解していただければ幸いである。

不忍池の畔の自宅にて、2020年5月吉日

山地憲治

目次

1．序論

1）エネルギー新時代の予感

火の発見から始まる人類のエネルギー史を振り返ると、最初の大きな区切りは18世紀の蒸気機関による動力革命である。動力革命は、それ以前には暖房や調理にしか使われていなかった熱を動力に変えて利用することを可能とした。エネルギーという概念の成立やエネルギーの科学的基礎が築かれたのも、この動力革命が契機になっている。動力革命以前には、動力源は水車や馬による高々数kWの規模だったが、蒸気機関やそれに続く内燃機関は単位出力を数万倍以上に高めた。この動力源の単位出力の増大は、生産や輸送などの産業活動を中心に人類の活動規模と範囲を大幅に拡大した。

次の区切りは19世紀末の電気利用の始まりである。エジソンの電気事業の発明によって、動力革命の成果である大規模発電所の電力を、分散する小規模な需要に効率よく供給することが可能となった。電気利用は照明から始まって多種多様な家電機器の発明を促し、エネルギー利用を生活の隅々にまで拡大した。電動モーターは小型でも大型でも高効率で制御が容易で、鉄道やエレベーターなど運輸や業務・産業部門でも利用が進んだ。さらに電気化学など電気利用による新しい工業分野が展開した。今では人類が利用する一次エネルギーの4割近くは電気に変換して利用されている。電気利用開始と同時期に発明された内燃機関は小型でも効率よく、自動車を中心にして移動する分散型動力源として大量に普及し、20世紀のエネルギー利用は電気と運輸用石油製品の時代だったと言えるが、生活を支えるエネルギー利用の汎用性では電気が自動車に勝る。

しかし、過去の２つのエネルギー大転換である動力革命と電気利用との結びつきは、終わりを迎えているように感じる。最近急速に増大している太陽光発電や風力発電は熱を電力に変換するものではない。つまり、動力革命とは無縁である。これら自然変動再エネ発電は、分散型電源として経済競争力を持ち始めている。ならば、分散型の電気利用を支える電気事業の形態も変わらざるを得ない。

さらに大きな時代変化の原動力は情報技術である。太陽光発電や風力発電のような自然変動電源は、揚水発電や蓄電池など電力貯蔵設備がないと、瞬時に需給バランスを取る必要がある電力システムでは大規模には活用できない。これは、需要を与えられた条件として聖域とし、専ら供給力を調整してきた従来の電力システムではその通りであるが、瞬時に需要が調整できれば状況は変わる。瞬時の需給調整は、過去数十年で処理速度を 100 万倍以上に増大し今もその勢いが止まらない情報技術を活用すれば実現できる。情報技術の進展、更にはそれを活用するソフト技術の急速な普及を考慮すれば、電気だけでなくガスや熱などエネルギーサービスの提供を含め、より広い社会インフラサービスとして新しい事業展開も展望できる。

動力革命から 300 年、電気利用から 150 年を経る今世紀半ばまでには、エネルギーシステムの姿は一変するという見通しの下で、今がエネルギー新時代の夜明けだと感じている。

2）新時代に向かう最近の兆候

2015 年以降のわが国のエネルギー情勢の変化を振り返ってみても新時代への変化が読み取れる。2015 年 7 月には、前年 4 月に決定された第 4 次エネルギー基本計画の 2030 年エネルギーミックス目標が提示された。安全性（Safety）を大前提とし、自給率（Energy Security）、経済効率性（Economic Efficiency）、環境適合（Environment）を同時達成するという 3E ＋ S を基本方針として、図 1.1 に示すように、電源構成における再生可能エネルギーの比率を 22 ～ 24%にするなどの 2030 年目標が決められた。

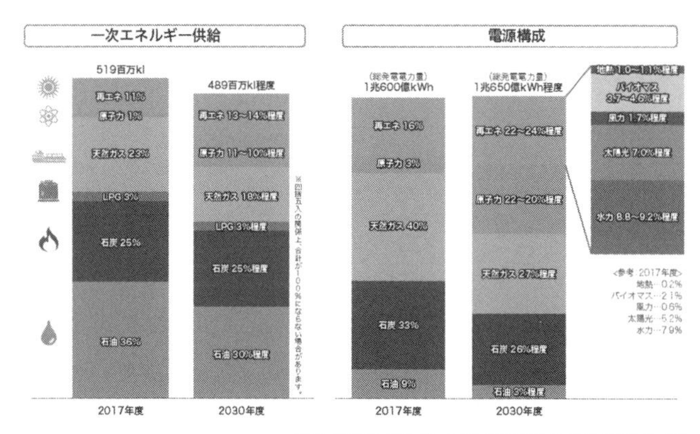

出所：日本のエネルギー2019、経済産業省・資源エネルギー庁

図 1.1　第 4 次エネルギー基本計画の 2030 年目標
（2018 年 7 月決定の第 5 次エネルギー基本計画でも維持）

この 2030 年のエネルギーミックス目標に基づき、わが国政府は 2015 年 12 月に開催された COP（気候変動枠組み条約締約国会議）21 に向けて、2030 年の温室効果ガス排出量を 2013 年比 26%減にするという地球温暖化対策目標を提出した。COP21 ではパリ協定が採択され、翌 2016 年 11 月に発効した。パリ協定の基本構造を図 1.2 に示す。ここに示されているように、パリ協定では、各国が自主的に温暖化対策目標とその達成方法を決め 5 年毎に提出する（こ

れをNDC（Nationally Determined Contribution）と呼ぶ）ことが合意された。また、長期目標を「世界的な平均気温上昇を産業革命前に比べて2℃より十分低く保つとともに、1.5℃に抑える努力を追求する。」とし、そのため、世界の温室効果ガスの排出量を今世紀後半に実質（正味）ゼロにすることとされた。そして、NDCを長期目標に収斂させる仕組みとしてグローバルストックテイクが導入された。

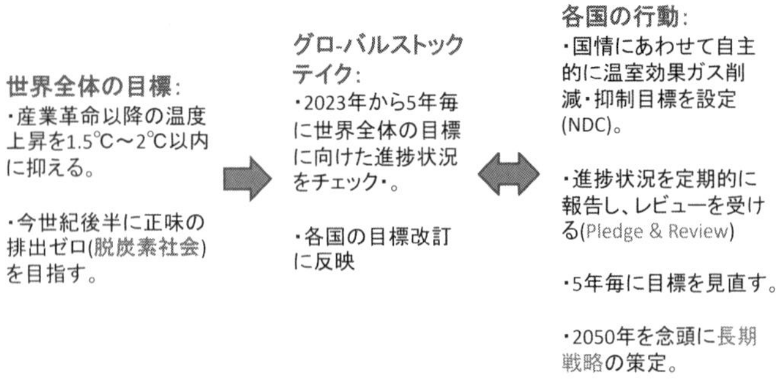

世界全体の目標:
・産業革命以降の温度上昇を1.5℃～2℃以内に抑える。

・今世紀後半に正味の排出ゼロ(脱炭素社会)を目指す。

グロ-バルストックテイク:
・2023年から5年毎に世界全体の目標に向けた進捗状況をチェック・。

・各国の目標改訂に反映

各国の行動:
・国情にあわせて自主的に温室効果ガス削減・抑制目標を設定(NDC)。

・進捗状況を定期的に報告し、レビューを受ける(Pledge & Review)

・5年毎に目標を見直す。

・2050年を念頭に長期戦略の策定。

図1.2　パリ協定の基本構造

なお、パリ協定発効と同時期に米国ではトランプ大統領が登場し、地球温暖化対策に後ろ向きのトランプ政権は2019年11月に正式にパリ協定脱退を通告した。このように今後の温暖化対策に関する国際政治情勢には不確定要素があるが、長期目標として温室効果ガス排出実質ゼロ（脱炭素を意味する）を提示し、NDCの仕組みによって世界の主要国すべての参加を実現したパリ協定の意義は極めて大きい。

その後、わが国は2018年7月に第5次エネルギー基本計画を閣議決定した。図1.3に示すように、第5次エネルギー基本計画では、2030年のエネルギーミックス目標は従前のものを維持するとともに、2050年に向けて温室効果ガス80%削減を目指してエネルギー転換・脱炭素化に挑戦するとした。このような動きの中で見えているのは、低炭素化を超えて長期的に脱炭素化を目指すという姿勢である。

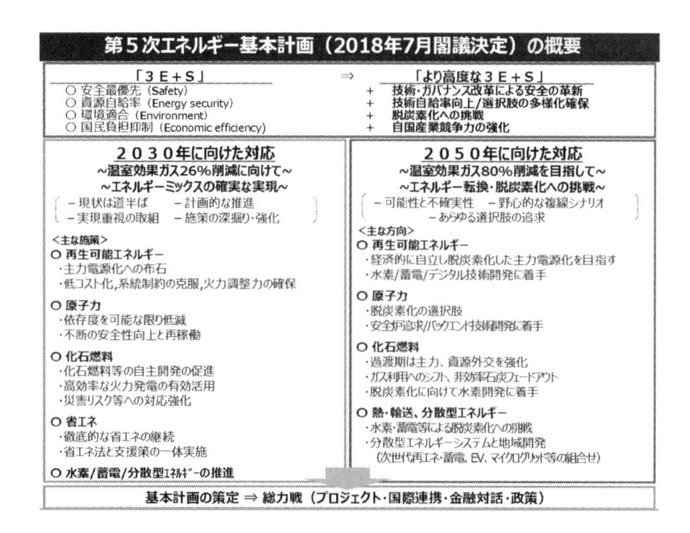

図1.3　第5次エネルギー基本計画の概要

2019年5月には天皇陛下のご退位によって時代が平成から令和へと代わった。平成時代は約30年、バブル崩壊から始まって、わが国経済は長期にわたって停滞し、最終エネルギー消費も平成の最初と最後でほぼ同じとなった。ただし、電化は着実に進んでいる。

50年前、私の学生時代には最終エネルギー消費に占める電気の割合は13%程度だったが、今では25%になっている。電力消費量についても平成時代だけで4割近く増大している。

バブル崩壊に加えて2度にわたる大震災や福島原子力事故などにより、曲がり角に立たされたエネルギーが今後どのように変わっていくのか、後続の各章で考察していきたい。

以下、本章に関連する電気新聞の時評「ウェーブ」の小論5篇を添付する。

約束草案の野心度

年末(2015年末)にパリで開催される気候変動枠組条約の締約国会合(COP21)に向けて、6月2日の地球温暖化対策推進本部において、わが国の「約束草案」の政府原案が決定された。約束草案とは、INDC(Intended Nationally Determined Contributions)の和訳で、各国が自主的に条約事務局に提出する2020年以降の温暖化対策のこと。中心となるのは温室効果ガスの排出削減目標である。

ご存知のように、福島事故後の原子力の見通しが定まらず、わが国の約束草案の提出は遅れていたが、2020年4月末の審議会で2030年のエネルギーミックスの提示があり、約束草案についても要綱案がまとめられた。結局、2030年の温室効果ガス削減目標は、2013年比で26%削減(2005年比では25.4%)となった。この削減目標の数値は国内排出量(森林等吸収を含む)に関するものであるが、約束草案には、国内での削減だけではなく、わが国の優れた技術や製品等の世界的普及による国際的な温室効果ガス削減への貢献についても記述されている。

地球温暖化対策にとってCOP21は非常に重要である。京都議定書は2013年以降も2020年までの第2約束期間を設けて継続しているが、これに参加しているのは主としてヨーロッパの国だけで、その排出量を合計しても中国の半分以下である。わが国は第2約束期間には不参加だが、2020年までについては、COP16のカンクン合意に基づき、2013年のCOP19において、原子力による貢献を期待しないその時点での目標として2005年比3.8%減を自主的に登録した。今年のCOP21では、このように分裂した国際的な温暖化対策の場を一つに統合し、すべての主要な温室効果ガス排出国が参加して地球規模で大きな実効性を持つ国際枠組みの構築を目指している。

ところで2030年の削減目標を2013年比で表記することについて、過去との整合性が悪いなど種々の批判がある。確かに、京都議定書目標は1990年比で表記され、COP19で示した2020年目標は2005年比で表記されている。

2013年比26％減を1990年比で表現すると18％減となり、小さく見えるので基準年を変えたのではないかなどとも疑われている。COP21は国際交渉の場だから、数値を大きく見せたいという誘因も確かにあるだろう。EUの約束草案は1990年比40％減と表記されており、米国は2005年比で26～28％減（2025年目標）としているが、いずれも、選んだ基準年によって削減数値を大きく見せる効果がある。EUも米国も目標値を2013年比で表記すれば、わが国よりも数値は小さくなる。いかにもいじましい努力だという気がする。

大事なことは、掲げた削減目標がどのような野心度を持っているかだ。約束草案は各国が自主的に削減目標を国際的にプレッジ（宣言）するもので、京都議定書のように総量削減目標を先に決めて先進国に割り当てるトップダウン型ではない。今回のわが国の目標も対策の積み上げによって設定されたもので、実現可能性が担保されたボトムアップ型の目標になっている。

自主的に宣言された各国の削減目標を客観的に評価するには、目標の実現に要する各国の負担の程度を見極める必要がある。これが約束草案の野心度の評価である。野心度によって、地球規模の温暖化対策における各国の貢献の公平性が評価できる。負担の程度を示す野心度の指標には、GDPあたりの対策コストや限界削減費用など様々なものが考えられる。私が研究所長を務めるRITEでも各国の約束草案の野心度の評価を行っているが、わが国の目標は欧米と比較して十分すぎるほどの野心度を持つ意欲的なものと評価されている。基準年の選択で見栄えが変わる削減比率に幻惑されてはならない。

（電気新聞、時評「ウェーブ」、2015年7月9日）

パリ協定の評価

2015年はわが国のエネルギー環境政策にとって記念すべき年になった。わが国のエネルギー政策は、福島原子力事故後長らく混迷を続けてきたが、2015年7月には2030年のエネルギーミックスが提示され、それを受けて年末のCOP21に向けた地球温暖化対策目標（約束草案）も決定された。COP21ではパリ協定が合意され、長年わが国が主張していた、すべての主要国が参加する国際枠組みが成立した。

パリ協定では、すべての国が自主的に温暖化対策目標とその達成方法を決め、5年ごとに提出することが合意された。また、効果的な温暖化対策の実施を促すため、透明性を高めた形ですべての国が共通の方法によって、その実施状況を報告し、国際的なレビューを受けることになっている。これはわが国が20年以上前から提案してきたプレッジ&レビュー方式に合致している。

パリ協定のもう一つの注目点は、長期目標として、全球平均気温上昇を産業革命前に比べて2℃未満に抑制することを明記し、1.5℃も努力目標としたことである。そして、この長期目標を達成するため、世界の温室効果ガス排出を出来る限り早期に減少方向に転換し、今世紀後半には温室効果ガスの排出実質ゼロを目指すことになった。ただし、この長期目標には様々な点で懸念がある。

地球温暖化の科学には、気候感度の評価など、まだまだ多くの不確実性があり、気温上昇による影響予測や温暖化対策の実現性についても不確定要因が多い。地球温暖化対策は、本来は、このような大きな不確実性の下で行うリスク対応として取り組む必要がある。リスク対応としては、長期目標を特定の数値で示すことよりも、今後起こり得る様々な状況に柔軟に対応しつつ、グローバルで実効性のある温暖化対策を長期的に維持していくことの方が重要である。パリ協定における長期目標は、温暖化対策の方向性を示す定性的なビジョンと理解するのが適切だと思う。

パリ協定では、プレッジ&レビューによる各国の自主的な温暖化対策を長期目標に収斂させる仕組みとして、グローバル・ストックテイク（国際的な検証）を行うことが定められた。このトップダウン型の検証プロセスは、ボトムアップ型の5年ごとの各国の行動目標改訂を方向付けることになり、これをハイブリッドアプローチと呼んでいる。複雑な利害が交錯する温暖化交渉の中で、このハイブリッドアプローチは有効に機能するだろうか。

長期的な温暖化対策を持続的に維持するには、長期目標というビジョンとともに、国際政治の実態を踏まえたリアリズムが必要である。ビジョンとリアリズムの両立を支えるものは何か。わが国の提案を自画自賛するつもりはないが、安倍首相が好んで言及するイノベーションが正解に含まれることは確かだろう。

パリ協定の合意を受けて、わが国は今年春までに、提出した約束草案の実現を目指す「地球温暖化対策計画」を取りまとめることになった。また同時期には、COP21 で安倍首相が提唱した「エネルギー・環境イノベーション戦略」も策定される。このイノベーション戦略では、約束草案で示した 2030 年目標を超えて、革新的技術の開発とその世界への普及を目指すことになる。

リスク対応としての地球温暖化対策では、グローバルで長期的な視点から研究開発を進め、対策手段の拡大を図ることが重要である。パリ協定でもイノベーションの重要性が指摘されている。特に、21 世紀後半を含む長期的な視点から研究戦略を評価すると、RITE が先導して進めている CCS などの技術開発の重要性が浮き彫りになるのではないか。

（電気新聞、時評「ウェーブ」、2016 年 1 月 27 日）

科学的レビューの限界

マスコミの論調では、第 5 次エネルギー基本計画（案）は随分と評判が悪い。立場は違っても、「エネ未来像、具体性を欠く」、「めざす姿がずれている」、「原発新増設、明記見送り」など社説には批判的な見出しが並んでいる。だが、3E＋S（安全確保を前提に、エネルギー安全保障、経済性と環境適合性を実現する）という基本方針は広く合意されている。原子力は「実用段階にある脱炭素化の選択肢」として維持し、再エネは「経済的に自立した主力電源化」を目指すという方針も私は良いと思う。ただし、原子力をめぐる政治状況に配慮して新増設に関する議論を避けたのは確かにもの足りない。

今回の基本計画（案）で評価すべきことは2050年に向けて長期戦略を検討したことだろう。「野心的な複線シナリオ」を追求し、「総力戦対応」で取り組むなど言葉が躍っている印象はあるが、長期戦略では不確実性への対応が重要だという認識は正しい。その中でも、「科学的レビューメカニズム」構築の提起は注目に値する。

実は、もう40年ほど前になるが、総合研究開発機構（NIRA）で「エネルギーモデル開発の現状とその機能」と題する報告の作成に協力した。エネルギーモデル開発に取り組んでいた当時の私は、米国の原子力政策の立案に数理モデルが活用されていることに羨望を感じていた。1960年代から米国原子力委員会は高速増殖炉開発計画等の評価に大規模な最適化モデルを利用し、政策の妥当性を透明性のある論理で示していた。NIRAの報告でもモデル解析を種々のエネルギー選択の評価に活用するよう提案した記憶がある。

3E＋Sを目指す長期的な政策の選択肢を、技術・経済動向などの不確実性の下で、透明性をもって論理的に評価する「科学的レビュー」では、数理モデルは重要な道具になる。最近では、麻生政権時代の温暖化対策の中期目標策定や民主党政権の2030年のエネルギーシナリオ分析に、複数の数理モデル解析が利用された。しかし、いずれもその直後に政権交代があり、モデル解析結果は現実の政策決定に活かされなかった。このような日本の現状に対し、米国では政策決定において、数理モデルを活用した政策の費用便益分析が義務付けられている。温室効果ガス排出の社会的費用など前提となるパラメータ設定に疑問を感じる点もあるが、少なくとも政策の意思決定における透明性は確保されている。

もっとも、このようなモデル解析を活用した政策評価を「科学的」レビューというと多少違和感がある。「科学」には自然科学の法則のような客観的真実を示唆する語感があるが、人間社会の事柄に「科学的」という表現が使われると胡散臭さを感じる。

自然科学に先立つ学術として哲学があるが、人間の知恵としての哲学には客観的真実という概念は無い。「ソクラテスの弁明」に記されている「無知の知」は、根拠を伴った理論的知識でも客観的真実とは言えないという限定的認識が必要なことを警告している。そもそも論理的思考の前提は合理性だけでは導けない。

エネルギー政策の「科学的レビュー」には、論理的整合性（数理モデルで担保）と共に、解析の前提と結果の評価基準に関する深い理解が必要になる。根拠を伴った理論的知識とともに、その限界を知ること、つまり、「無知の知」による抑制が必要である。

（電気新聞、時評「ウェーブ」、2018 年 6 月 21 日）

平成の 30 年

30 年前の今月から始まった平成時代が今年（2019 年）4 月末で終わる。平成になって間もなくバブル崩壊。現在の最終エネルギー消費は、石油換算で年間3億トンを少し超える程度で平成元年とほとんど変わらない。平成の最終エネルギー消費は1990年代後半からリーマンショック前まで3.6億トン程度の水準で飽和していたが、その後は東日本大震災を経て現在の水準まで下がった。ただし、電力消費は、2007年のピーク後に減少してはいるが、この30年を通して4割近く増加した。自身の体験を踏まえて平成の30年を振り返りたい。

平成の始まりとほぼ同時にIPCC（気候変動に関する政府間パネル）が始動した。今や世界的に活用されている「茅恒等式」の解析に私も関わった。電中研にいた私は地球温暖化対策研究についてIIASA（国際応用システム分析研究所）との交流を始めた。当時はIPCCが30年以上も活動するとは思っていなかった。東大へ異動後今日に至るまで、温暖化対策研究は私の主要テーマである。

1995年の「もんじゅ」事故後は、原子力政策円卓会議など出身学科の原子力に関する各種委員会にも呼ばれるようになった。私は当時からプルトニウム利用には様々な理由から懐疑的で、批判的なコメントをしていた。「原子力未来研究会」という私的なグループをつくって雑誌に原子力政策に関する記事を連載し、まとめた本が著作賞を受賞したこともあったが、2003年夏に連載中止を強制された苦い思い出もある。原子力の重要性は十分に理解しているつもりだが、政治が絡んで政策の柔軟性を失っているのが残念だ。

一方、東大に異動したころから始めたバイオマス利用のシステム分析は楽しかった。バイオマスは燃料以外にも食料や素材など様々に利用される。多様な利用はバイオマスの流れで連結されていて、システム構造はエネルギーフローと似ている。電中研の山本博巳氏らと共同で、エネルギーバランス表を模してバイオマスバランス表を考案した。バイオマスのシステム分析は学生の研究テーマとして何度も使った良い教材である。

バイオマスも含まれるが最近の私が最も時間を使っているのが再エネ政策である。2003年から施行されたRPS（電気事業者に一定比率の再エネ発電を義務付ける制度）の審議では積極推進を主張した。RPS相当量の取引など工夫したつもりだが、電気事業者に負担が発生すること、再エネ事業者にとっては義務期間が先8年では投資判断には短すぎることなど問題もあった。結局RPSは廃止され、今のFIT（固定価格買取）が導入された。紙面の都合で説明は略すが、買取価格を一律にすれば、FITは数理的にRPSと同等になる。しかし、今の制度では再エネの種類・規模別の区分ごとに利益が発生するよう買取価格が決定される。政策研究者として痛恨の極みである。

そして、東日本大震災・福島原子力事故の後、電力・ガスシステム改革が急速に推進され、様々な市場設計が並行して進んでいる。電力システム改革では、安定供給のために必要な予備力や調整力も市場取引によって確保しようとしている。つまり、今まで隠れていた「安定供給」の価値が顕在化し、新しい価値を持つ複数の商品となって市場で取引されるのである。この中で再エネ政策をどう進めていくのか。平成の30年の終わりは真に慌ただしい。

（電気新聞、時評「ウェーブ」、2019年1月24日）

これからの電化

前回の本欄で、平成の30年で最終エネルギー需要全体は伸びなかったが、電力需要は4割近く増加して電化が進んだと述べた。今回は電化の将来を考えたい。

最近の傾向からは、わが国の電力需要は減少を続けるように感じるが、現実には電化が進行している。これは世界的潮流である。また、地球温暖化対策のシナリオ分析では長期的に CO_2 の正味ゼロエミションを実現する解決策として、電化と電気の脱炭素化の組み合わせが常に出てくる。より詳しく言うと、製鉄など高温の熱が必要な部門ではゼロエミションの実現が困難なので、発電部門には正味ゼロを超えて、バイオマス発電とCCSの組み合わせ（BECCSと呼ぶ）によるネガティブエミッションも求められる。これは私が温暖化対策のシナリオ分析を始めた20年ほど前から変わらない。

現実にもヒートポンプ技術の進展で熱利用の電化傾向が継続し、給湯や調理、暖房など生活関連でも電化は実感できる。電動自動車も市場を獲得し運輸部門の電化も進み始めた。電気は利用端では熱以外の排出物は無くクリーンであり、動力や熱、照明など全てのエネルギーサービスを極めて効率的に提供できる。また、規模を問わず高度な利用・制御ができる電気は超スマート社会を支えるエネルギーとして最適である。

ただし、電化が電力系統から供給される電気で賄われる保証はない。蓄電装置を含めた分散型システムで自家消費される電気が増加する可能性も高い。電力需要としては把握されていないが、プリウスなどのハイブリッド車はこの形態である。また、コージェネは競争力のある分散電源としてすでに成立しており、昨年のブラックアウトで注目されているレジリエンス対策としてもZEB/ZEH（正味ゼロエネルギービル / 住宅）の自家発の活用が期待されている。将来的には超スマート社会で必要とされるセンサーやウェアラブル機器などの小規模需要に、エネルギーハーベスティング技術（光や振動、温度差などによる発電）が適用されるようになるだろう。

温暖化対策としての電化について最近は新しい視点が生まれている。従来は再エネ発電や原子力、BECCSなど電源の脱炭素化に注目が集まっていたが、BECCSには広大なエネルギープランテーションが必要で食料生産などとの競合が指摘されるなど実現への懸念が多く出されるようになった。代わって注目されているのが超スマート社会での電化の役割である。

本欄でも何度か指摘したが、電動自動車を使った自動運転やカーシェア / ライドシェアなどによる燃費向上と自動車台数減少による大幅なエネルギー需要低減である。基本的な構造は、超スマート社会における情報の活用によるエネルギーや物質の代替であるが、このプロセスではセンサーや制御機器が多用され、更にはブロックチェーンなどによる分散型決済のための情報処理量が増大して電力消費が増えると予想される。つまり、超スマート社会でのエネルギー需要変化に伴う電化の役割が重要になる。

一方、便利で安価な電力利用が実現されると電力需要そのものが増大するリバウンド効果の懸念もある。照明やモビリティの需要で歴史的に大きなリバウンド効果が観測されている。今後の電化では、超スマート社会に向けたエネルギー需要構造の変化に着目した研究が重要になるだろう。

（電気新聞、時評「ウェーブ」、2019年3月7日）

2．イノベーションが拓くエネルギー新時代

1）エネルギー・環境分野の技術開発

蒸気機関の開発から始まり、各種の内燃機関、電力システムを支える多様な技術など、様々なエネルギー分野の技術開発が行われてきたが、国家としてエネルギー技術開発に本格的に取り組んだのは原子力の平和利用が端緒であろう。原子力はそもそも核兵器として開発された。発電などの原子力の平和利用技術は、軍事にも利用可能性があるデュアルユース技術の代表格である。原子力開発に国家が取り組んだのは、開発規模が巨大で長期にわたるため民間での取り組みに限界があったことに加えて、軍事とのデュアルユース問題（わが国の場合は軍事利用を否定し平和利用に限定するという課題）があったためである。

少しわき道にそれるが、イノベーションの視点でも、軍事利用、少し言葉を優しくすれば国防目的の研究開発との関係を、特に開発推進体制の在り方において意識しておく必要があることを指摘しておきたい。例えば、米国国防高等研究計画局（DARPA）は、インターネットやGPS（全地球測位システム）など非連続なイノベーション（新しい価値の実現）を生み出したことで高い評価を受けている。しかし、国防という機微な領域では、予算を含め独立した研究管理の体制により非連続なイノベーションに挑戦することが許容される環境がある一方、研究管理の透明性が乏しく暴走の恐れもある。平和利用の研究開発における非連続なイノベーション実現の仕組みについては、今はまだ手探りの状態と言ってよいだろう。

さて、原子力に続いて我が国が国家として取り組んだエネルギー

技術開発は、第1次石油危機後のサンシャイン計画である。サンシャイン計画では1974年から1992年まで20年近くにわたり太陽光発電や石炭液化などの技術開発に総額4000億円を上回る資金が投入された。その後もニューサンシャイン計画や燃料電池などの水素エネルギー利用技術の開発等が継続された。

国家プロジェクトとしてのエネルギー技術開発のため、政府は科学技術庁（1956年発足、2001年に文部科学省に統合）や新エネルギー総合開発機構（NEDO；1980年発足、1988年に新エネルギー・産業技術総合開発機構に改称）などの組織を設置して研究開発を進めた。しかし、このような技術開発体制は研究開発成果の社会実装という出口で困難に直面した。

1990年代以降は国主導の研究開発も次第に民間との連携を強化して社会実装を出口として意識する研究開発が進められるようになった。また同時に、エネルギー分野の研究開発は地球温暖化対策との関係が深まり、目的指向のエネルギー・環境イノベーションとして進められるようになった。特に、2015年末のパリ協定採択以降は、イノベーションが地球温暖化対策の第1に挙げられるようになった。

2）エネルギー・環境イノベーションの展開

2015年12月に「パリ協定」が合意され2016年11月に発効した。パリ協定では、長期目標を「世界的な平均気温上昇を産業革命前に比べて2℃より十分低く保つとともに、1.5℃に抑える努力を追求する。」とし、そのため、世界の温室効果ガスの排出量を今世紀後半に実質（正味）ゼロにすることが目標とされた。この長期目標に対し、日本政府は、2019年6月に「パリ協定に基づく成長戦略としての長期戦略」(以下「長期戦略」)を策定し、「最終到達点としての脱炭素社会を掲げ、それを野心的に今世紀後半のできるだけ早期に実現することを目指すとともに、2050年までに80%の温室効果ガスの削減に大胆に取り組む」とした。「長期戦略」の柱は、イノベーションの推進、グリーンファイナンスの推進、ビジネス主導の国際展開・国際協力とされており、1番目にイノベーションが掲げられている。この中でも、「革新的環境イノベーション戦略」は、温暖化対策の「長期戦略」のもっとも重要な柱であるイノベーション戦略を定めたもので、2020年1月に正式に決定された。

詳しくは後述するが、革新的環境イノベーション戦略では、非連続なイノベーションを推進し、世界のカーボンニュートラル、更には、過去にストックされたCO_2の削減(ビヨンドゼロ)を可能とする革新的技術を2050年までに確立することを目指すとされている。

ところで、脱炭素社会とは、実質的に(正味で)CO_2排出量がゼロとなる社会である。大気中のCO_2濃度が上昇し始める産業革命期まで、自然のプロセスとして、光合成によるCO_2吸収や海洋等によるCO_2吸収がCO_2発生量を相殺して実質ゼロ排出が実現されていた。産業革命以降急速に進展した森林破壊や化石燃料の大量使用によって、この自然界のバランスが攪乱され大気中温室効果ガス濃度の増加を招き、地球温暖化が引き起こされた。イノベーションによって人工的に実質的CO_2ゼロ排出を実現する脱炭素社会は、いつまでに実現すべきかについては議論の余地があるが、地球温暖化対策の長期目標として適切である。ただし、気候変動対応を持続可能なものとするためには、3E+S(わが国のエネルギー政策の基本である、安全確保を前提とした、エネルギー安全保障、経済効率、環境保全の確保）やSDGs（2015年9月の国連サミットで採択された持続可能な開発目標の17のゴール）の同時達成が必要である。

パリ協定採択直後の2016年1月にわが国は第5期科学技術基本計画を決定している。この中で超スマート社会（ソサエティ5.0）の実現が提唱されている。ソサエティ5.0は社会イノベーションと呼ぶべき提案で、脱炭素社会の実現に深く関与すると私は考えている。これについても後述する。また、同年4月にはエネルギー・環境イノベーション戦略が決定された。これはパリのCOP21に参加した安倍首相の表明を受けたもので、2020年1月に決定された革新的環境イノベーション戦略策定の最初のステップに当たる。

2018年7月には第5次エネルギー基本計画が決定され、2030年のエネルギーミックス目標をターゲットとして着実に実現するとともに、2050年については脱炭素化への挑戦をゴールと位置づけ、不確実性を踏まえて複線シナリオで取り組むとされた。その中で、OODA（ウーダ）というアプローチ（観察（Observe）、方向付け（Orient）、決定（Decide）、行動（Act））に言及している。長期目標に向けて非連続なイノベーションに挑戦するためにも、不確実性に機動的に対応するOODAは役立つと思う。

2019年6月にはわが国でG20が開催され、その期間中に「長期戦略」が決定されるとともに、軽井沢で開催されたエネルギー・環境関係閣僚会合でG20軽井沢イノベーション・アクションプランが合意・公表された。このアクションプランでは、省エネや再エネ、原子力など従来から取り組んでいる技術に加えて、水素・合成燃料、CCUS（CO_2回収・利用・貯留技術）・カーボンリサイクル、デジタル化・スマート化など脱炭素に向けた革新的なイノベーションが取り上げ

られた。同年９月には、水素閣僚会議やカーボンリサイクル産学官国際会議など多くのイベントが行われ、10 月初めのグリーンイノベーションウィークでも様々な行事が行われてイノベーションへの機運が盛り上がった。また、10 月末には革新的環境イノベーション戦略検討会がとりまとめ方針を提示し、これをもとに 2020 年１月に革新的環境イノベーション戦略が決定された。

2015年12月	COP21においてパリ協定採択
2016年１月	第５期科学技術基本計画で超スマート社会（Society5.0）提唱
2016年４月	エネルギー・環境イノベーション戦略策定
2017年 春	長期地球温暖化対策プラットフォーム（経産省）、長期低炭素ビジョン（環境省）
2018年７月	2050年へCOCN提言：再エネ、原子力、水素、CCUS、Society5.0、産業省エネ
2018年７月	第５次エネルギー基本計画閣議決定
2018年10月	IPCC 1.5℃特別報告書
2019年２月	CCUSラウンドテーブル@ワシントンDC
2019年３月	水素・燃料電池戦略ロードマップ
2019年６月	カーボンリサイクル技術ロードマップ（７日） エネルギー・環境技術のポテンシャル・実用化検討会報告（10日） （対象とした個別技術：水素、CCUS（NETs含む）、再エネ・蓄エネ、パワエレ） パリ協定長期成長戦略（11日閣議決定、26日 UNFCCC事務局へ提出） G20エネルギー・環境関係閣僚会合@軽井沢（15～16日）G20大阪サミット（28～29日）
2019年９月	水素閣僚会議（25日）グローバル・アクション・アジェンダ“Ten, Ten, Ten” →今後 10 年で 10 千カ所の水素ステーション、10 百万台の燃料電池システム カーボンリサイクル産学官国際会議（25 日）
2019年10月	TCFD サミット（８日）、ICEF（９、10 日）、RD20（11 日）；グリーンイノベーションウィーク 革新的環境イノベーション戦略検討会がとりまとめ方針案提示（29 日）
2020年１月	革新的環境イノベーション戦略公表

表 2.1　革新的環境イノベーション戦略に至る最近の動向

3）革新的環境イノベーション戦略

革新的環境イノベーション戦略は、非連続なイノベーションを推進し、世界のカーボンニュートラル、更には、過去にストックされた CO_2 の削減（ビヨンドゼロ）を可能とする革新的技術を 2050 年までに確立することを目的としている。決定された戦略は、革新的技術の 2050 年までの確立を目指す具体的な行動計画（イノベーション・アクションプラン）を中核とし、その実現を強力に後押しするアクセラレーションプランとゼロエミッション・イニシアティブズから構成されている。

アクセラレーションプランは、検討会では政策のイノベーションと呼ばれていたもので、①司令塔による計画的推進、②国内外の叡智の結集、③民間投資の増大の 3 本柱からなる。

司令塔による計画的推進については、府省横断で基礎から実装まで長期に推進するためにグリーンイノベーション戦略推進会議を設け、既存プロジェクトの総点検とともに、最新知見でアクションプランを改定する。

国内外の叡智の結集については、まず、ゼロエミッションに向けた国際共同センター等を設立する。既に 2020 年 1 月には産業技術総合研究所に G20 の研究者 12 万人をつなぐゼロエミッション国際共同センターが発足しており、今後は産学が協創する「次世代エネルギー基盤研究拠点」、「カーボンリサイクル実証研究拠点」の創設、「東京湾岸イノベーションエリア」の構築により産学官連携を強化する。また、「ゼロエミクリエイターズ 500」による若手研究者の集中支援、先導研究や「ムーンショット型研究開発制度」の活用や「地域循環共生圏」の構築で有望技術の支援強化を行うとされている。このうちムーンショット型研究開発については、具体的な革新技術が関係するので後で少し詳しく説明する。

民間投資の増大についてはグリーンファイナンス推進、優良プロジェクトの表彰・情報開示による投資家の企業情報へのアクセス向上（ゼロエミチャレンジ）、研究開発型ベンチャーへの投資拡大（ゼロエミベンチャー支援）を行う。

一方、ゼロエミッション・イニシアティブズは国際会議等を通じて世界との協創のために情報発信を行うもので、グリーンイノベーション・サミット、RD20、ICEF、TCFDサミット、水素閣僚会議、カーボンリサイクル産学官国際会議を開催する。

イノベーションアクションプラン

革新的環境イノベーション戦略の中核となるイノベーション・アクションプランには、5分野16課題に分けた39テーマについて、①コスト目標、世界の削減量、②開発内容、③実施体制、④基礎から実証までの工程が明記されている。詳細については内閣府から公表されている「革新的環境イノベーション戦略」（令和2年1月21日、https://www8.cao.go.jp/cstp/siryo/haihui048/siryo6-2.pdf）を参照されたい。ここでは、図2．1に示す5分野16課題について私のコメントを記しておく。

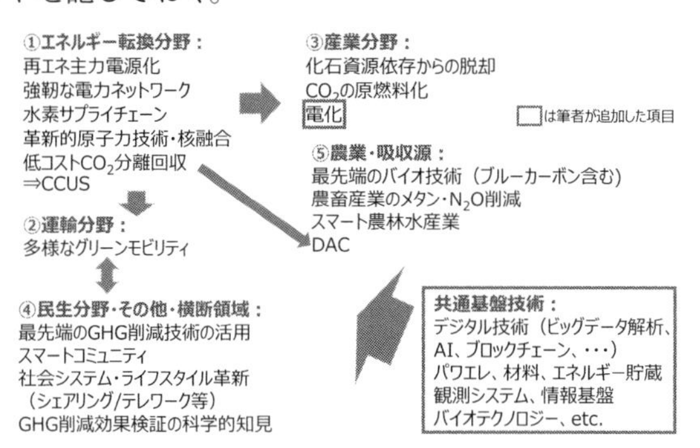

図2.1　革新的環境イノベーション戦略の5分野・16課題

図2.1には、革新的環境イノベーション戦略における、①エネルギー転換、②運輸、③産業、④民生・その他・横断領域、⑤農業・吸収源の5分野に分けた16課題が示されている。

エネルギー転換分野では、再エネや原子力など従来から意識されている課題に加えて、電力ネットワーク、水素、CCUS（CO_2の回収・利用・貯留）が記されている。エネルギー転換は革新技術群の中心に位置するもので他のすべての分野の課題と関係している。運輸分野では、多様なグリーンモビリティという総括的な表現になっているが、具体的なテーマには電動化や燃料電池の利用、バイオ燃料などが記されている。

産業分野では、化石資源依存からの脱却とともに、CO_2の原燃料化が明記されていることが注目される。これは回収されたCO_2を燃料（メタンやメタノールなどの合成燃料）や原料（炭化水素系の化学原料や炭酸塩の建設素材など）に変換して活用するもので、カーボンリサイクルを表している。CO_2は化学的に極めて安定な物質であるので、その原燃料化では、投入されるエネルギーや水素などに伴うCO_2排出をライフサイクルで評価することが重要になる。また、地球温暖化対策としての実用化には、コスト競争力とともに、大規模なCO_2利用が期待できなければならない。各種CCU技術のコストとCO_2利用規模の評価の最近の例としては、C. Hepburn et al., Nature Vol.575, 87-97（2019）がある。

民生・その他・横断領域には、最先端技術の活用（具体的なテーマでは、分野間連携、燃料電池、未利用エネ活用拡大、グリーン冷媒など）に加えて、スマートコミュニティと社会システム・ライフスタイル革新が明記されている。「長期戦略」におけるイノベーションの記述では、革新的環境イノベーション戦略は経済社会システム / ライフスタイルのイノベーションと並列して記述されていたが、最終的に決定された革新的環境イノベーション戦略では、これら社会イノベーションも含めて一体として記述されていることが注目される。革新的環境イノベーション戦略検討会において社会イノベーションの重要性が繰り返し指摘され、それを踏まえてこのような形になったと思われるが、検討会の座長を務めた私もこの対応に賛成である。後述するが、社会イノベーションの効果は単に民生分野に留まらず、産業や輸送分野などにも大きな変革をもたらすと期待される。なお、横断領域の課題として GHG 削減効果検証のための科学的知見の充実が記されている。

農業・吸収源分野の課題は、これまでのエネルギー・環境イノベーションの議論であまり取り上げられなかった領域であるが、メタンや N_2O など CO_2 以外の温室効果ガスの抑制には農業分野が重要であり、また吸収源においても生物分野が重要な役割を果たすので、これも適切な整理だと思う。具体的な課題として、メタン・N_2O 削減に加えて、再エネを活用するスマート農林水産業、最先端バイオ技術を活用したバイオマスの原燃料転換、海洋生態系に炭素を貯留するブルーカーボンやバイオ炭による CO_2 固定が挙げられている。特に、この分野で、DAC（Direct Air Capture、大気中からの CO_2 回収）がイノベーションの課題に含まれたのは大きな進展である。

電化と共通基盤技術

図 2.1 には私の判断で産業分野の電化と共通基盤技術を追記した（□で囲んで表示）。

電気は利用段階でクリーンかつ効率的に利用できることに加えて、様々な資源から生産できるので、低炭素化・脱炭素化が相対的に容易に実現できる。カーボンニュートラルなバイオマス発電とCCS（CO_2回収・貯留）を組み合わせれば（これをBECCSと呼ぶ）、大気からCO_2を回収して地中に隔離するとともに電気を生産できるのでCO_2排出はマイナスになる。このような脱炭素化された電気を産業や運輸などの分野で利用することで、省エネ効果も含めて全体として大きなCO_2削減が期待できる。特に産業分野の高温熱利用は脱炭素化が難しい部門であり、産業分野の電化に挑戦するのは重要なイノベーションだと考えている。

共通基盤技術として追記したデジタル技術やパワーエレクトロニクス、バイオテクノロジーなどはよく読めば革新的環境イノベーション戦略の中でも分散して記述されている。これらは応用範囲の広い革新技術で、エネルギーや環境に特化したイノベーションとして意識されることが少ないが、電力ネットワークの強靭化や社会イベーションにおいて大きな役割を果たす。これら基盤技術のイノベーションの重要性を忘れてはならない。

ムーンショット型研究開発

なお、革新的環境イノベーション戦略ではアクセラレーションプランの中で書かれていることであるが、ムーンショット型研究開発についてもここで触れておきたい。ムーンショット型研究開発は政府が今後5年間で約1000億円を拠出する大型研究開発事業で、2020年2月から公募が始まっている。この研究開発の特徴は実現すべき目標の選定から始めていることで、6つの研究課題で構成されている。革新的環境イノベーション戦略との関係が特に強いのは第 4 課題「2050 年までに、地球環境再生に向けた持続可能な資源循環を実現」である。

ムーンショット第 4 課題が取り組む問題は、温室効果ガス対策の他、プラネタリーバウンダリー（地球の限界値）を超えているとされる窒素化合物と最近注目が高まっている海洋プラスチックである。このムーンショット課題が取り組む革新技術は、図 2.2 に示すように、環境中に既に広範に存在する有害物質の回収・利用である。これは CO2 の場合には大気からの CO2 回収・利用であり、革新的環境イノベーション戦略がめざす「ビヨンドゼロ」（過去にストックされた CO2 の削減）に挑戦することを意味する。実際、ムーンショット第 4 課題では、革新的環境イノベーション戦略の課題とされている DAC や CCUS に取り組むことになっている。

第 4 課題の PD（Program Director）に指名された私は、非連続なイノベーションを目指すムーンショット型研究開発の趣旨を実現するため、目標に向けた複数の研究プロジェクトをポートフォリオとして構成し、ステージゲートでの評価・調整によって研究開発リスクに対応していくつもりである。

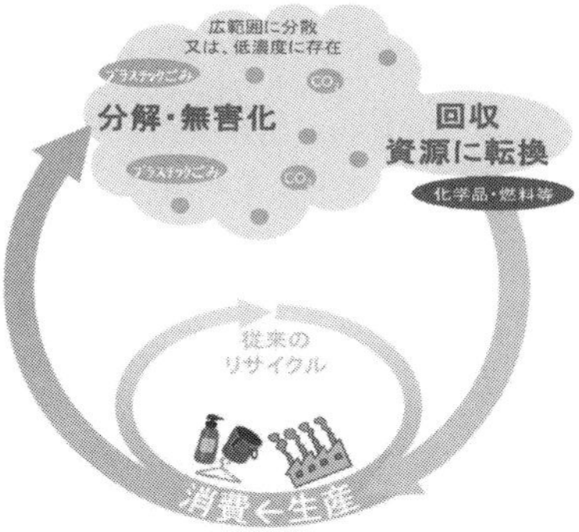

図 2.2　ムーンショット第 4 課題が目指す新たな資源循環

4）社会イノベーションの重要性

2018年10月に公表されたIPCCの1.5℃特別報告書では、気温上昇を1.5℃に抑制するためには2050年頃に世界の温室効果ガスの実質（正味）ゼロ排出が必要なことが示されている。報告書の中では様々な排出削減シナリオが類型化されているが、特に注目されるのはLow Energy Demand（LED）シナリオという従来のモデル分析よりも低いエネルギー需要が実現するシナリオである。他のシナリオでは、実質ゼロ排出には大気から大量にCO_2を除去するBECCS（バイオマス利用+CCS）や植林の大規模導入が必要になり、生態系への影響や食料供給への懸念が生じるが、LEDシナリオでは特段の温暖化対策を導入しないベースラインシナリオにおいて既にCO_2排出が少なく、1.5℃シナリオでもBECCS等の大規模な導入は回避できる。

LEDシナリオはIIASA（国際応用システム分析研究所）のA. Grüblerらが提示したもので、部門ごとの最終エネルギー消費からではなく、シェアリング経済の可能性を含め、必要なサービスレベルを基にエネルギー需要を推計したものである。このシナリオは社会イノベーションによって実現される低エネルギー需要を基礎とするもので、地球温暖化対策だけでなくSDG sの同時達成もしやすいシナリオであり注目される。私が研究所長を務める（公財）地球環境産業技術研究機構（RITE）でもこのシナリオを重視しモデル解析を進めている。

図2.3に地球温暖化対策の基本構造を示すが、従来の対策はエネルギー効率改善とエネルギーの低炭素化による緩和策（排出削減策）

が中心で、温暖化対策に特化した技術（気候工学などと呼ばれる）としてCCS（CO_2回収・貯留）の研究開発、また、避けられない温暖化への適応策が進められているという状況だった。その点、革新的環境イノベーション戦略はDAC（大気からのCO_2回収）やCCU（CO_2回収・利用）などを取り上げていて新鮮味がある。

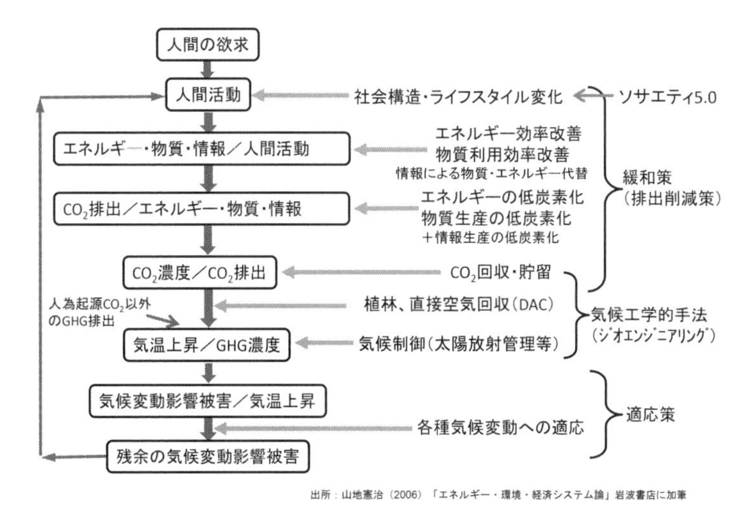

図 2.3　地球温暖化対策の基本構造

LEDシナリオの新しさは、図2.3の右上部に記したソサエティ5.0のような社会イノベーションによって社会構造・ライフスタイルを変化させるという点にある。既に述べたように、この社会イノベーションも革新的環境イノベーション戦略に含まれている。

IoT（モノのインターネット）やAI（人工知能）などのデジタル技術によって実現する超スマート社会（ソサエティ5.0）では、革命的な省エネが実現する可能性がある。第５期科学技術基本計画によれば、超スマート社会ではサイバー空間とフィジカル空間が統合され、必要なモノ・サービスを、必要な人に、必要な時に、必要なだけ提供できる。エネルギーサービスの提供に当てはめれば、全く無駄のない究極の省エネが実現する。これは情報によるエネルギーの代替である。

エネルギー需要に与える影響は、無駄のないエネルギー利用という効果だけに留まらない。超スマート社会では、シェアリングやリサイクルによってモノの利用も徹底的に効率化するので、同じサービスの利用がより少ないモノ（物質）の使用で実現する。これは情報による物質の代替である。この代替効果によって物質生産の必要量が減少すれば、その生産に必要なエネルギー需要も減少する。物質を介した間接的なエネルギー需要減は、省エネとして意識されにくいが、エネルギー需要に与える影響は極めて大きい。

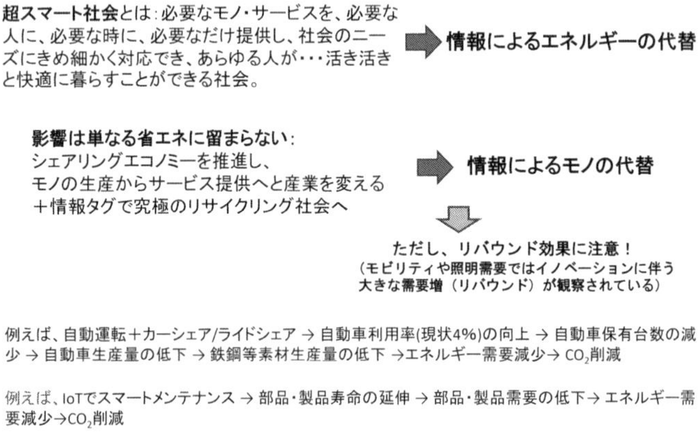

超スマート社会とは：必要なモノ・サービスを、必要な人に、必要な時に、必要なだけ提供し、社会のニーズにきめ細かく対応でき、あらゆる人が・・・活き活きと快適に暮らすことができる社会。

➡ **情報によるエネルギーの代替**

影響は単なる省エネに留まらない：
シェアリングエコノミーを推進し、
モノの生産からサービス提供へと産業を変える
＋情報タグで究極のリサイクリング社会へ

➡ **情報によるモノの代替**

ただし、リバウンド効果に注意！
（モビリティや照明需要ではイノベーションに伴う大きな需要増（リバウンド）が観察されている）

例えば、自動運転＋カーシェア/ライドシェア → 自動車利用率(現状4%)の向上 → 自動車保有台数の減少 → 自動車生産量の低下 → 鉄鋼等素材生産量の低下 →エネルギー需要減少→ CO_2削減

例えば、IoTでスマートメンテナンス → 部品・製品寿命の延伸 → 部品・製品需要の低下→ エネルギー需要減少→CO_2削減

図 2.4　超スマート社会（ソサエティ 5.0）のインパクト

図 2.4 に示すように、カーシェアやライドシェアが社会に定着すれば、モビリティ需要が同じでも必要な自動車台数は減る。自動運転やライドシェアで乗用車の利用率は 10 倍になるという試算もある。そうなれば、自動車の製造に伴う素材が減り、製品製造に伴うエネルギー需要が削減され、CO_2 が減る。部品や製品も一定期限で寿命とするのでなく、性能を IoT で常時モニターして不良品だけ取り換えれば部品や製品の寿命が延び製造需要は減り、エネルギー需要も CO_2 も減る。

課題として挙げられるのは、リバウンド効果である。リバウンド効果とは、便利で安くなると需要が増えることを意味する。時間やお金が節約できることで他の需要が増大するという横展開するリバウンドもあるし、便利で安価になったことによる直接のリバウンドもある。

フランスについての研究（A. Grübler, 1998）によると、1800 年頃の人の歩行による移動距離は 1 日平均 4km だったが、今は半分以下になっている。代わって鉄道、2 輪車、バス、自家用車、飛行機とモータリゼーションが進み、今では一人当たり 1 日の平均移動距離は数 10km になっている。結果として輸送用のエネルギー需要は激増した。別の英国の研究（P. G. Pearson, 2003）では、1800 年頃と比べて照明の効率は 700 倍になったが、需要が 3 万 4 000 倍になったという結果も出ている。こうしたリバウンド効果を踏まえると、社会システムイノベーションが本当に CO_2 削減につながるかは慎重に検討する必要がある。

一方、社会システムではないが、機器レベルの技術革新で情報による物質の代替が実感できるものがある。身近に感じられる成功事例はスマートフォン（スマホ）である。スマホの基本機能は電話だが、今では様々なアプリケーションプログラムによって、ネット端末、テレビ、カメラ、時計、計算機、照明など様々な機能を持つ。それぞれ個別の製品を所有する場合と比較すると、エネルギー消費量の大幅削減のほか、物質量も大きく減らしていることが実感できる。

スマホの登場で人々の行動は大きく変化しており、スマホは機器レベルの技術革新が大きな社会イノベーションにつながった事例とみることができる。その他、キャッシュレス決済やテレワークも社会構造や人々の生活スタイルを大きく変える社会イノベーションである。そして、このような社会イノベーションを支えているのは、多種多様なデジタル技術、パワエレ、材料などの共通基盤技術である。

共通基盤技術によるイノベーションには、性能・機能目標を定めてシーズとニーズをつなぐ従来型の研究開発とは異なるアプローチが必要である。太陽電池や蓄電池にしても、実用化の壁を突破したのは、特定の性能の実現を目指した研究開発の結果ではなく、パソコンや液晶テレビなどで急進展した共通基盤技術の横展開である。このような異分野の研究開発活動との隣接・交流、最近はやりの表現ではイノベーションのエコシステムが、これからの社会イノベーションでは重要な役割を果たすと思われる。

5）脱炭素実現の構図

脱炭素実現で中心になるのはクリーンで効率的な利用ができる2次エネルギー媒体であり、現状では電気、将来的には燃料・熱利用として水素が活躍すると思われる。電気と水素を中心に置き今まで本稿で述べてきた各種イノベーションを配置した脱炭素実現の構図を図 2.5 に示す。

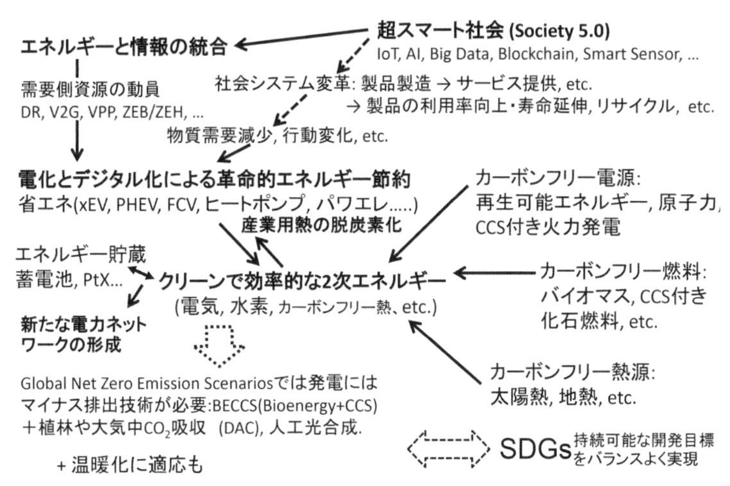

図 2.5　脱炭素実現の構図

電気と水素は様々な資源から生産できるので技術イノベーションによって低炭素化・脱炭素化が可能である。CCUS 技術を想定すれば、原子力や再生可能エネルギーの利用だけでなく、化石資源の活用も排除されない。ただし、今後太陽光発電や風力発電のような自然変動する電源が大規模に導入されると見込まれるので、電解水素での貯蔵（PtX）を含め蓄電技術の役割が重要になる。また、自然変動電源を連系する電力ネットワークにも柔軟性や強靭性が求められる。

電気の利用は、デジタル社会の進展、運輸部門の電化やヒートポンプによる熱供給の増加によって今後も継続して増大すると思われる。すでに指摘したように産業部門の電化も重要な課題である。水素は燃料電池での利用に加えて、燃焼発電や熱利用、さらにはカーボンリサイクルの進展に伴って燃料や化学物質合成の資源として需要が増加すると見込まれる。

電気の利用については、太陽光発電やコージェネなどの分散型電源や電動自動車の蓄電池、ヒートポンプ給湯器の貯湯槽など需要側に置かれたエネルギー設備の活用が進むだろう。送配電事業の制度も電力システム改革によって大きく変化しつつあり、需要に合わせた電力供給という従来の姿から、需給一体となったネットワーク形成・運用へと変化していくだろう。デジタル技術の活用がこのようなネットワーク革新を支えていく。

前節で述べたような超スマート社会（ソサエティ5.0）が進展すれば、情報によるエネルギーと物質の代替によって、エネルギー需要の大幅な低減が実現するだけでなく、エネルギーと情報のシステム統合がさらに進み、需要側に置かれた設備等の分散型資源が一層効率よく活用されることになるだろう。結果として、電化とデジタル化による革命的エネルギー節約が実現する可能性が描ける。もっとも、ブロックチェーンなど情報処理に伴う電力需要増大に対応する必要があり、量子コンピュータなど情報分野でのイノベーションとの連携を図る必要がある。

製鉄やセメント製造、化学工業、農業など人間の経済活動全体を俯瞰すれば、以上のような対策をすべて実施しても温室効果ガスのゼロ排出を実現することは困難と思われる。従って、植林やDAC、BECCSなど大気からCO_2を回収する技術も備えておく必要がある。その上で、起こりうる温暖化への適応と、SDGs（持続可能な発展への国連目標）における温暖化問題以外のゴール実現とのバランスを図っていく必要がある。より幅広い視点に立てば、SDGs の達成に向けた社会イノベーションによって CO_2 排出のベースラインを下げ、そこに技術イノベーションによって電気や水素のようなクリーンな二次エネルギーを CO_2 排出なく生産し、効率的に利用するシステムを構築すれば、地球温暖化問題解決の展望が開ける。革新的環境イノベーション戦略はこのような脱炭素実現に向けた構図を完成させるための重要な一歩である。

（本章の 2 節から 5 節は、「エネルギーと動力」2020 年春季号への寄稿論文「革新的環境イノベーション戦略の背景・狙い・展望」に基づいて記述した。）

以下、本章に関連する電気新聞の時評「ウェーブ」等の小論 6 篇を添付する。

デュアルユース問題

久しぶりにサンフランシスコに出張した。近郊の研究所で開催された日本学術会議が主催する国際会議に参加するためである。最初はローレンスリバモア国立研究所（LLNL）、ここは大型レーザーによる慣性閉じ込め核融合の研究で知られている。もう一つはスタンフォード国立加速器研究所（SLAC）、素粒子物理学の研究拠点として知られていたが、最近では加速器と組み合わせて強力な X 線を発生する自由電子レーザーを開発し、光科学の先端研究を進めている。

SLAC については、30 数年前に EPRI（米国電力研究所）に出向していた時、高速道路の下の長大な加速器の建物を何度も見て、一度入ってみたいと思っていたが、ようやく念願がかなった。X 線自由電子レーザーは、時間的にも空間的にも超高解像度の動画を撮る顕微鏡として利用できる。化学反応における分子構造の変化を非破壊で映像化できるため、光合成や触媒反応等のミクロな構造解明に革命的進歩をもたらし、産業応用も急速に進んでいる。

LLNL でのテーマは高エネルギー密度科学である。ここには核兵器開発にも使われている NIF（国立点火施設）と呼ばれる超大型レーザーがある。192 本のレーザーを集光してワンショットで 1 MJ を超えるエネルギーパルスを発生する。パルスの時間幅が極めて短いので世界全体のエネルギー消費率の 10 倍以上のパワーが出せる。この光エネルギーが作る衝撃波によって物質を爆縮し 1 億度程度の高エネルギー密度状態を実現できる。

大型レーザーが実現する高エネルギー密度状態は、核融合反応を実現するだけでなく、超新星爆発など宇宙の物理現象を再現することもできる。これにより実験室宇宙物理学と呼ばれる新しい学術領域が創出され、星や惑星の内部や隕石衝突など極限状態での物質研究で大きな成果を挙げている。つまり、NIF は核兵器開発だけでなく純粋学術研究にも利用することができる。これを科学・技術のデュアルユースと呼んでいる。

デュアルユース問題が注目を浴びたのは、2001 年の米国同時テロ直後の「炭疽菌事件」を受けて米国がバイオ技術の研究規制を強化し、研究者が逮捕されたことが直接のきっかけだが、歴史的には、原子核物理と核兵器開発の関係が最も際立った例である。原子力平和利用 3 原則を提言した学術会議は、デュアルユース問題についても真剣に取り組んでおり、2013年に改訂した「科学者の行動規範」では「科学研究の利用の両義性」という項目を設け、研究成果が破壊的行為に悪用されないよう、成果の公表の仕方に注意を呼び掛けている。

兵器開発は国家防衛という「公共目的」を持っており、兵器にも使えるという事実だけでは研究成果の悪用にはならないと思う。しかし、国家の意思に反した悪用を防ぐために機密保護を要する点ではデュアルユース問題と同じである。実際、LLNLのセキュリティは極めて厳しく、撮影や録音は禁止され、目立たないように配慮されてはいるが、トイレに行く時にも監視されていた。

米国の国防関係の研究開発費は莫大で、NIFのような大型研究施設の予算を支えている。原子力に限らず、レーダーやインターネットなど、当初は軍事利用を目的に開発された革新技術は数多い。X線レーザーの開発もスターウォーズ計画と呼ばれた1980年代の軍事技術開発に含まれていた。

一方、わが国では軍事に係る研究は厳しく制約されている。学術目的だけでは、NIFのように巨額の予算を要する研究施設の建設をわが国単独で行うのは難しい。デュアルユース問題に注意しつつ、NIFを含めて国際共同研究を進める必要があるだろう。

（電気新聞、時評「ウェーブ」、2015年10月15日）

ソサエティ5.0

2016年1月に閣議決定された第5期科学技術基本計画の中で、「超スマート社会（ソサエティ5.0）」が提唱されていることをご存じだろうか。「超」とか「スマート」という表現に抵抗を感じる方もいると思うが、科学技術による新たな価値創出、つまりイノベーションを導くビジョンとして、私は適切な方向性を示していると思う。

ソサエティ 5.0 は、狩猟、農耕、工業、情報に続く 5 番目の社会形態を意味する。1980 年に出版された A. トフラーの「第三の波」で描かれた情報社会は、インターネットに代表される技術革新によって普通に体験できる現実になった。これからは、サイバー空間とフィジカル空間が更に高度に融合して質的変化を遂げ、ソサエティ 5.0 が到来するという。

ソサエティ 5.0 の基盤となる技術として、IoT（モノのインターネット）、ビッグデータ解析、人工知能などの情報技術が挙げられているが、私はセンサーや脳科学などヒューマンインターフェイス技術に注目している。というのは、エネルギーにおける情報技術の活用は、スマートコミュニティ事業の中でエネルギーマネジメントとしてすでに取り組みが始まっているが、その中で人間行動の理解が大きな課題として浮き上がっているからである。

例えば、これからの省エネの主役は家庭や業務などの民生部門だが、この分野では人間の行動変化による省エネが重要だ。地球温暖化対策でも、情報提供による意識改革など国民運動に期待しているが、具体的な展開策の科学的基盤がない。情報を提供して人間の意識を変え行動変化を誘導するには、情報を提供する側の技術革新だけでなく、情報を受け取る人間に関する科学が必要である。

科学技術基本計画の定義では、超スマート社会とは、必要なモノ・サービスを、必要な人に、必要な時に、必要なだけ提供し、社会の様々なニーズにきめ細かく対応でき、あらゆる人が質の高いサービスを受けられ、年齢、性別、地域、言語といった様々な違いを乗り越え、活き活きと快適に暮らすことのできる社会である。これは民生部門の省エネ推進にピタリと整合したビジョンだと思う。

ヒューマンインターフェイス技術については、本欄で脳科学分野のブレインマシンインターフェイス（BMI）技術を紹介したことがある。BMI 技術開発では、頭の中で思い描いたことを映像化する「念写」などが実現されている。また、これほど先端的でなくても、人間の五感に関する研究は様々に進展している。

例えば、人間の耳の可聴領域は 20Hz から 20kHz といわれているが、20kHz を超える超音波領域の音も生理面に様々な効果を与えることが観測されている。ゆらぎを持つ超音波を可聴音とともに聴かせると、脳内に精神を安定化させるアルファ波が発生し、発汗の抑制や皮膚温の上昇が確認されている。つまり、可聴音に超音波領域の音を加えると人間にリラックス効果が表れる。想像の域を出ないが、進化の過程で獲得した感性らしい。実際、古来の民族楽器が発する音には超音波領域が多く含まれている。

民生部門のエネルギーサービスの多くは、照明や空調、音響など人間の五感に働きかけるものが多い。五感を通して得られる快適さは心（脳）が感じている。エネルギーサービスに限らず、人間の快適さや幸福感の根源は心（脳）にある。

ソサエティ 5.0 の構築は、科学技術の重点をモノから心へシフトさせる大きな契機になるように思う。民生部門の省エネは大きな変化の中の一要素にすぎないだろう。ただし、科学技術には光と影がある。要は人間の使い方次第。だからこそソサエティ 5.0 のようなビジョンが重要になる。

（電新聞、時評「ウェーブ」、2016 年 3 月 8 日）

ブロックチェーン

仮想通貨ビットコインを支えるソフトウェアとして登場したブロックチェーンが、金融分野での応用を超えて、エネルギー分野でも活用される兆しがある。なんだか怪しげなビットコインと関係しているのでブロックチェーンに抵抗感を持つ人も多いようだが、私はすべての人とモノをつなぐIoT時代に不可欠な汎用技術だと考えている。

ブロックチェーンは分散型台帳と呼ばれるように、個々の取引情報が取引者間で保存されるだけでなく、同時にネットワーク参加者全員の分散データベースにも送られる。ブロックチェーンでは過去の取引情報もすべて記録されている。一定期間内の取引情報の塊がブロックで、過去のブロックとも繋がっているのでブロックチェーンと呼ばれる。過去のブロックの情報はハッシュ関数で暗号化され、改ざんはすぐに検出できる。また一部で改ざんがあっても、参加者全ての分散台帳に同じ内容が保存されているのでシステム全体の稼働を継続できる。つまり、ブロックチェーンでは情報セキュリティが分散型という仕組みの中に組み込まれており、24時間休みなしの稼働が可能である。

ブロックチェーンの意義は中央管理型のシステムと比較すると分かり易い。中央管理型システムでも、IoTは取引対象の拡大や取引の迅速化に大きな効果があるが、データが集中して保存されているためサイバー攻撃のリスクがあり、防御に要するコストが高額になる。また、システムのメンテナンスのために定期的なサービス停止が必要になる。何よりも管理者に対する信頼が基盤であり、そこに疑念が生じるとシステム全体が崩壊する。

P2P がブロックチェーンを支える通信基盤である。ここで、P とはピア（対等な関係者）のことで、P2P とは対等な者（モノも含む）同士の取引を意味する。このように書いてくると、政治的イデオロギーとの関係を感じざるを得なくなる。つまり、IoT 時代の中央管理システムは独裁的なビッグブラザーを想起させ、ブロックチェーンは究極的な直接民主制を思わせる。しかし、私はそのような連想は極力排除するようにしている。

ブロックチェーンの意義は、IoT 時代の情報セキュリティをより確実に廉価で実現することにある。中央管理システムでは十分に対処できない、24 時間連続した膨大な数の分散型の取引や制御を扱うには、ブロックチェーンが威力を発揮する。

10 月初めに東京で行われた ICEF（温暖化対策におけるイノベーションを議論する国際会議）では、ブロックチェーンに関するセッションが初めて設定された。このセッションで特に印象に残ったのは、自動運転とカーシェアに加えて、仮想通貨とブロックチェーンを使って、自らビジネスを行う電気自動車の話である。UBER のようなカーシェアビジネスはすでに実現していて、これだけでも自動車の利用率が向上し必要な自動車台数が減少して大きな省エネになると期待されているが、さらに自動運転とブロックチェーンを組み合わせて、決済まで自動車が行うというのは奇想天外な発想だと思った。

ICEF では、トップ 10 イノベーションを参加者の投票によって選んでいるが、今年は 10 の中の 2 件がブロックチェーンに関するものだった。ブロックチェーンによる、個々の需要家間での電力取引の実証と蓄電池のネットワーク管理である。商業的応用までには、様々な応用分野における効果の検証が必要であり、何よりも課金方式などのビジネスモデルの創出が重要である。

課題はあるが、ソサエティ5.0、インダストリー4.0、ユーティリティ3.0など様々なビジョンの実現にブロックチェーンが重要な役割を果たすことは間違いないと思われる。

（電気新聞、時評「ウェーブ」、2017年10月23日）

エネルギービジネスのイノベーション

イノベーションというと技術の革新と思われがちだが、ビジネスモデルの革新も重要なイノベーションである。エジソンは電球の発明者として知られているが、後の社会により大きな影響を与えたのは、その電球に発電所から電力を送る電力システムを事業化したことである。今風に言えば、サプライチェーン全体の事業化という新しいビジネスモデルによって大きなイノベーションを起こした。

生産と消費が同時に行われる電力供給事業において、分散する個々の需要を電力システムで統合して供給することには、大きな経済的メリットがある。需要毎に発電設備を持つと個々のピーク需要に対応する設備が必要になるが、電力システムで需要をまとめると、個々の需要のピークは分散しているので、全体としてのピークは個々のピークの合計より小さくなる。つまり、需要をネットワーク化して共有発電所を持てば、個別に設備を持つ場合より合計の設備規模が小さくて済む。それに加えて、設備コストには規模の経済が働くので、設備単価は小さな設備より大規模な設備の方が安くなる。これが電力システムの需給両面の規模の経済である。エジソンの直流電力システムは交流電力システムに敗れることになるが、これも交流電力システムの方がより大きなネットワークを効率的に構成できたからである。

さて、現在進行中の電力システム改革は歴史的に見るとどう位置づけられるのか。この改革の核心は送配電事業の分離・中立化であり、これはサプライチェーン全体の事業化というエジソンのイノベーションの基本構造を破壊する。戦後の経済成長を安定な電力供給で支えた従来の電気事業制度の破壊には心が痛むが、私はこの破壊を次の大きなイノベーションの契機として前向きに捉えたい。

IoT（モノのインターネット）や人工知能、ビッグデータ解析など、注目を集めている最近の技術革新は適用範囲の広い共通基盤技術であり、製造業をモノの生産からサービスの提供へと変身させ、シェアリングエコノミーや徹底した循環型経済を実現して大きな社会革新をもたらすものとして期待されている。この社会イノベーションの中で、エネルギービジネスも大きく変化すると思われる。

既に電力、ガス、石油の間の垣根は取り払われ、需要家が持つ分散資源の動員も含めて、総合エネルギーサービス産業への展開が始まっている。このようなエネルギービジネスの広がりは、共通基盤技術の革新がもたらす超スマート社会（ソサエティ 5.0）では、さらにシステムの境界を拡大して、社会インフラ事業として発展する可能性がある。この過程で、従来のような電力システムの最適化を超え、より大きな社会インフラ基盤の最適化の可能性が開ける

新しいビジネスモデルの展開過程では様々な悲喜劇が生じるだろうが、ビジョンを共有し機動的で柔軟な精神を持てば、エネルギービジネスに大きなイノベーションを導けるのではないか。

（月刊誌「エネルギーフォーラム」2018 年 2 月号、オピニオン）

ベースラインの変化

ベースラインとは、エネルギー政策や地球温暖化対策のシナリオ分析では、特段の対策をしなかった場合の基準シナリオを指す。対策を導入したシナリオをモデルで描き、ベースラインと比較して対策の効果を評価する。

しかし、ベースラインも変化する。ベースラインの変化は、特段の政策対応の結果でなく、時代の歴史的変化として生じる。

国際石油資本が市場を支配していた時には、石油価格は安定しているのがベースラインだったが、石油危機以降は崩れた。また、かつては経済成長とエネルギー需要の強い相関に基づく需要想定がベースラインだったが、今では、わが国を含めて多くの先進国では相関が解かれ、エネルギー需要減の下で経済成長を実現している。

ベースラインは基準予測なのだから、その変化は事前には想定されず、後になって時代が変わったと気づくことになる。しかし、地政学的変化や技術進歩など長期的な歴史的流れを踏まえれば、ベースラインの変化もある程度は予測できるのではないか。

1979 年の先進国首脳会議（東京サミット）は、年初に第 2 次石油危機を招いたイラン革命、同年 3 月に TMI 原子力事故発生と、エネルギー危機への懸念が最高潮に達したタイミングで開催された。結局、各国は 1985 年の石油輸入割当を約束することとなり、わが国は 630 万～ 690 万バレル / 日を表明した。現実の石油輸入量はこの目標をはるかに下回る実績となった（最近は 300 万バレル台）が、当時は極めて厳しい目標と考えられていた。ここにも、ベースラインの変化が読み取れる。

わが国の石油輸入量が抑制されたのは、原子力や天然ガスの活用とともに、石油危機以降急速に進んだ産業部門の省エネによる寄与が大きい。この大きな省エネのトレンドは1973年の第1次石油危機直後から始まっており、1980年代後半まで継続した。GDPとエネルギー需要の相関解消の源泉はこの時代にある。しかし、その後も運輸部門や生活周りのエネルギー需要は増大を続け、このベースラインの変化は十分には捉えられていなかった。

さて、私は地球温暖化対策の評価においてもベースラインの変化を取り込むことが重要ではないかと考えている。IPCCでは、研究者が共有するベースラインの社会経済シナリオを複数設定してモデル解析研究者に提供しているが、温暖化対策実施前のベースラインシナリオのCO_2排出経路には大きな幅ができている。従来の温暖化対策の議論ではあまり取り上げられていなかったが、ベースラインシナリオにおけるCO_2排出の低減は注目に値する。

環境・社会・ガバナンスを重視するESG投資などによる民間主導の脱炭素化が、デジタルイノベーションによってもたらされる超スマート社会（ソサエティ5.0）の進展とともに進めば、高コストのCO_2削減対策に頼らずとも気候安定化へのシナリオが描ける。

長期的な温暖化対策には、技術と社会のイノベーションが必要である。SDGs（持続可能な発展への国連目標）の達成に向けた社会イノベーションによってCO_2排出のベースラインを下げ、そこに技術イノベーションによって電気や水素のようなクリーンな2次エネルギーをCO_2排出なく生産し、効率的に利用するシステムを構築すれば、地球温暖化問題解決の展望が開けるのではないか。

（電気新聞、時評「ウェーブ」、2018年8月2日）

ウィーンで考えたこと

ウィーン郊外のラクセンブルグ城にあるIIASA（国際応用エネルギーシステム分析研究所）を久しぶりに訪問した。IIASAとRITEが共同開催する国際会議出席のためである。IIASAの理事を10年余り務めたので何回も訪れているが、最近はご無沙汰していた。最初のIIASA訪問はエネルギーモデルの調査のために来た1978年だと思うが、以来40年以上を経ても風景はほとんど変わっていない。

国際会議のテーマは、大きな変化が予想されるエネルギー需要の分析だった。IoT（モノのインターネット）やAI（人工知能）などのデジタル技術によって実現する超スマート社会（ソサエティ5.0）では、革命的な省エネが実現する可能性がある。第5期科学技術基本計画によれば、超スマート社会ではサイバー空間とフィジカル空間が統合され、必要なモノ・サービスを、必要な人に、必要な時に、必要なだけ提供できる。エネルギーサービスの提供に当てはめれば、全く無駄のない究極の省エネが実現する。これは情報によるエネルギーの代替である。

エネルギー需要に与える影響は、無駄のないエネルギー利用という効果だけに留まらない。超スマート社会では、シェアリングやリサイクルによってモノの利用も徹底的に効率化するので、同じサービスの利用がより少ないモノ（物質）の使用で実現する。これは情報による物質の代替である。この代替効果によって物質生産の必要量が減少すれば、その生産に必要なエネルギー需要も減少する。物質を介した間接的なエネルギー需要減は、省エネとして意識されにくいが、エネルギー需要に与える影響は極めて大きい。

もちろん世界を見渡せば、調理や照明など生活に必須なエネルギーすら不足している地域もあるが、携帯電話が途上国でも急速に普及しているように、デジタル革命によるエネルギー需要の大幅削減は途上国を含めて世界全体に及ぶ可能性がある。

会議では以上のような議論をしていたのだが、初日の会議後の夕食会で唖然とする経験をして考えさせられた。教会にあるワイナリーでの会食だったが、前菜2種、メインディッシュ3種のメニューの決定に1時間近くもかかってしまった。参加者は40人程度だったがウェイターが各自のメニューの選択を丁寧に聞いて紙に書き留めていく。まずこれに多大な時間を要した上に、注文の集計を手計算でやって結果を確認するのにさらに時間がかかった。おかげでワインをたくさん飲めて酒好きの私には好都合だったが、メインを食べ終わったのは夜10時過ぎになり、デザートはキャンセルしてホテルに帰った。

多少不思議だったのは、注文が確定すると食事が出てくるまでにはそれほどの時間はかからなかったことだ。どうも、調理というフィジカルな仕事は速いが、注文の収集・整理というソフト系の仕事は手間がかかったようだ。メニューを確定するというプロセスは食事の楽しみの一部と考えれば納得できないこともないが、確定した注文の集計に時間がかかるのはいただけない。

デジタル革命で無駄を省く場合にも、機械を使ったハードの作業と人を相手にするソフトの作業ではアプローチを変える必要がある。キャッシュレスの普及にも関係するなどと酔って虚ろな頭で考えた。妙なきっかけでデジタル革命の課題に気づいた。

（電気新聞、時評「ウェーブ」、2019年12月2日）

3．再生可能エネルギーの未来

第5次エネルギー基本計画では、2050年に向けて、経済的に自立した再生可能エネルギーの主力電源化を目指すとされている。現実には、再生可能エネルギーの大量導入は、わが国を含め世界的に既に始まっている。しかし、課題も多い。現状と課題を整理した上で、わが国の対応状況を踏まえ再生可能エネルギーの未来について考える。

1）再生可能エネルギーの現状

世界の現状

世界の再生可能エネルギー利用の統計を毎年刊行しているREN21のRenewables 2019 Global Status Reportによれば、2017年の世界のエネルギー消費の約18%を再生可能エネルギーが担っている。ただし、7.5%分は伝統的バイオマスと呼ばれる途上国を中心として主に調理用に使用されている薪や動物排泄物であり、これは屋内空気汚染の原因でSDGsの中でも電気やガスなどの近代的なクリーンエネルギーへの転換が求められているものである。残りの約10.5%が、水力発電や風力発電、太陽光発電、バイオ燃料など現代的再生可能エネルギーと呼ばれるもので、今後の急速な進展が期待されているものである。このように再生可能エネルギーと一口に言っても、世界的に見れば、伸ばすべきものと抑制すべきものの両方が含まれていることにまず留意が必要である。

現代的再生可能エネルギー（以下、再エネと略す）の中でも特に最近急速に伸びているのは太陽光発電と風力発電である。図 3.1 に示すように、2018 年の再エネ発電設備の年間増分は 1.8 億 kW に達しており、その内、太陽光発電だけで 1 億 kW、風力発電は約 5000 万 kW となっている。図 3. 2 には、水力を除く運転中の世界の再エネ発電設備容量を示す。ここに示されているように、2018 年に運転中の水力を除く再エネ発電規模総量は約 12.5 億 kW であり、その内、風力が 6 億 kW、太陽光が 5 億 kW、バイオマス発電が約 1 億 kW となっている。図 3. 2 には再エネ発電導入量の大きい 6 カ国の設備容量も示されているが、再エネ導入が圧倒的に大きいのは中国で、風力と太陽光がそれぞれ約 2 億 kW 設置されている。わが国は世界第 5 位で総量約 6400 万 kW が導入され、そのほとんどが太陽光発電である。このように再エネ大量導入はすでに世界の現実である。

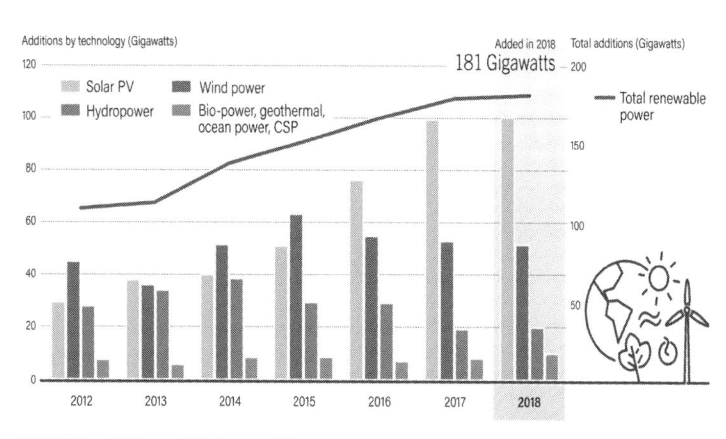

図 3.1　世界の再生可能発電設備の年間導入量

出所：Renewables 2019 Global Status Report、REN21

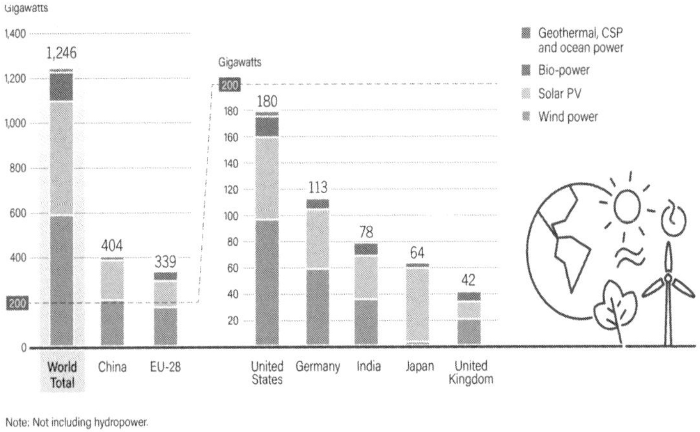

図 3.2　水力を除く運転中の再エネ発電設備容量（2018 年）
出所：Renewables 2019 Global Status Report 、REN21

わが国の現状

前章で述べたように、わが国は第 1 次石油危機直後の 1974 年からサンシャイン計画を進め、太陽電池や風力発電などの再生可能エネルギー技術の研究開発を進めてきた。1990 年に入ると、研究開発は実証試験の段階に進み、住宅の屋根に設置された太陽光発電の余剰電力を電力会社が自主的に家庭向けの電気料金の水準で買い取るなど普及促進に向けた動きも開始された。1997 年には新エネルギー利用等の促進に関する特別措置法が施行され、太陽光発電や風力発電の設置費用を補助する政策が開始された。

21 世紀に入ると、再エネ発電促進のためのグリーン電力基金やグリーン電力証書制度が民間の発意によって導入された。2003 年からはRPS（Renewable Portfolio Standard）法が施行され、電力会社に一定比率の再エネ電源調達を義務づけた。RPS制度の下では、8年先までに達成すべき再エネ発電比率が提示され、再エネ資源は地域的に偏在しているので、調達義務量の経過措置や電力会社間でのRPS相当量（電気そのものでなくRPS価値）の取引など、再エネ導入に伴うコスト負担の平準化措置も実施された。2009年には、それまで電力会社が自主的に行っていた住宅の太陽光発電の余剰電力買取について、調達価格と調達期間（10年）を国が決める制度（余剰電力買取制度）が導入された。当初の買取価格は48円/kWh（電力会社が自主的に行っていた余剰買取価格のほぼ2倍）だった。2009年夏の自公政権から民主党政権への移行に伴い、再エネ発電の全量固定価格買取制度（FIT：Feed-in-Tariff）の導入が検討され、2012年7月から本格的なFIT制度の運用が始まった。これに伴いRPSは廃止された。

RPSやFITの導入に関して私は審議会委員としてかかわったが、いくつかの思いが残っている。RPSについては、再エネ発電の種別構成（ポートフォリオ）が経済合理的に選択できるので再エネ導入促進政策として合理的なものと考え積極推進の立場だったが、現実に導入されたRPS制度は、導入義務目標の設定が8年先までと短くて再エネ事業者の投資予見性を高めるには不十分であり、一方、再エネ電源調達を義務付けられた電力会社にとってはRPSに伴う費用負担を電気料金に反映する制度が明確でなく経営負担が大きいものだった。結局、欧州で再エネ電源導入に目覚ましい効果を発揮したFITをわが国でも導入することになった。ただし、FIT制度に関する審議会報告に基づいて、東日本大震災当日（2011年3

月11日）に閣議決定されたFIT法案では、先行して導入されていた太陽光発電買取以外については20円/kWh程度の一律価格で買い取るという制度案であったのに対し、大震災と福島原子力事故後の慌ただしい国会での審議によって成立したFITでは、再エネ発電を種類別・規模別等に区分して、それぞれの区分において効率的に供給した場合に通常要する費用に利潤を配慮して、つまり原価に基づいて買取価格を決める制度となった。当時の国会審議では買取総額や国民負担に一定の上限を設けるという議論もあったが、結局実現せず、結果として年間2兆円を超える国民負担が発生する状況を招いてしまったのは残念である。

国民負担の増大のような大きな副作用を伴っているものの、FITは再エネ電源、特に太陽光発電の導入に極めて大きな効果を発揮した。2016年度には、わが国の総発電量における水力を除く再生可能エネルギーによる発電量の比率は7.8％となり、初めて水力発電を上回った。

特に急増しているのは太陽光発電で、2012年7月の固定価格買取制度（FIT）導入直前の規模と比較すると、2019年9月末までの7年間ほどで、太陽光発電の導入量は560万kWから5240万kWと9倍以上に急増した。なお、エネルギー基本計画における2030年の太陽光発電規模は6400万kWとされているが、認定量ベースでは太陽光発電はこの水準を超えている。さらに、発電所の定格容量より太陽光パネルを過大に設置するいわゆる過積載のため事業用太陽光発電施設の設備利用率は17％程度（過積載がなければ、わが国の日照条件では12％）に上昇しており、発電電力量（kWh）では基本計画を相当上回る規模が見込まれる。

導入量ベースでみれば、わが国の最近の再エネ発電増加分のほとんどは太陽光によるものであるが、FIT 認定設備量（未運開分を含む）でみれば、太陽光とバイオマスは、エネルギー基本計画で設定された 2030 年の導入目標を超えており、風力発電も認定量ベースでは 2030 年目標の 1000 万 kW に近い水準になっている。

2）国民負担の急増など顕在化する課題

このような急速な大量導入の一方で、課題も明らかになりつつある。特にわが国では多くの問題に直面している。

年間賦課金 2 兆円越え

わが国の FIT 法では、買取価格は再エネ電源の種別・規模別・設置形態別の区分ごとに、効率的な供給を行った場合に通常要する費用（原価）に利潤等を勘案して決められる。買取価格の中で、電気としての価値（回避可能費用、現在は卸市場価格に連動）を上回る部分は、賦課金として電力消費者が消費電力量に応じて均等負担するのが原則である。なお、電気としての価値に相当するコストは電気事業者が負担し、最終的には電気料金として回収される。

図 3.3 に示すように、賦課金は急速に増大し、2017 年度の賦課金は 2 兆円を超え、現在は年額約 2.4 兆円になっている。固定価格買取は多くの場合 20 年間継続するので FIT 対象の再エネ発電事業者への補助は数十兆円が既にコミットされている。このような膨大な補助金は、エネルギー政策の費用として空前の規模である。例えば、1974 年から 1992 年まで続いたサンシャイン計画の総額は約 4400 億円、1990 年代半ばに行われた住宅用太陽光発電の設置補助

はピーク時で年間 100 億円程度だった。また、国策として進めた原子力開発でも、最終的に廃炉が決まった高速増殖炉もんじゅへの投入総額は約 1 兆円である。

FIT制度による国民負担(賦課金)の急上昇

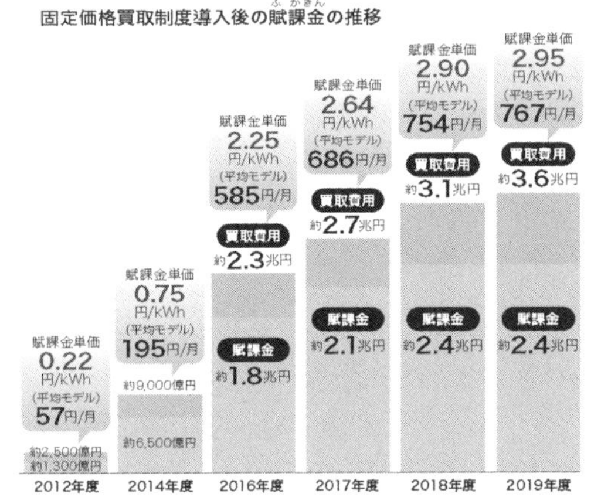

図 3.3　FIT 制度による毎年の買取費用と賦課金
出所：日本のエネルギー 2019、経済産業省・資源エネルギー庁

国際水準より高い発電コスト

FIT による 10kW 以上の事業用太陽光発電の買取価格は 40 円 / kWh（税抜き）から始まったが、改正 FIT 法により 2000kW 以上の区分で入札制度が導入された 2017 年度と 2018 年度は、それぞれ 21 円と 18 円、500kW 以上が入札対象となった 2019 年度には 14 円、250kW 以上が入札対象となった 2020 年度は 12 円（50kW 未満は地域活用要件（後出の FIT 制度抜本見直しの節で説明）を満

たすものは13円）まで低下した。しかし、それでも国際水準より高い。陸上風力発電についても、当初22円/kWhだったものが、2018年度は20円、2019年度は19円、2020年度は18円と低下しているが、それでも欧州の水準の約2倍である。その他、バイオマス発電等の買取価格も国際水準より相当高い。

わが国のFIT買取価格は対象案件の実績原価を調査して、その中で効率的なものを基準に設定されているが、諸外国に比べて高い水準に留まっている。設置工事費が高い等わが国特有の要因もあるが、原価プラス利潤で買い取るというFITの下では原価削減のインセンティブが有効に機能していないと思われる。

変動性再エネ電源による系統制約

九州地域で最初に顕在化したが太陽光発電の大量導入が5月の連休など需要低下期における供給過剰を招き、火力発電による調整や揚水発電の活用等でも対処できなくなってきた。このため、需給バランスを取るために太陽光などの自然変動性電源の出力制御を行う必要性が発生した。このように、電力系統での瞬時瞬時の需給バランスを取る必要から生まれる制約を、一般的に系統制約と呼んでいる。

系統制約には、需給バランスを維持する容量面の制約と、変動性電源以外の電源に対する残余需要の変動速度に対応する制約がある。変動速度に対する制約とは、例えば、太陽光の出力が急減すると同時に点灯需要が立ち上がる夕刻における残余需要の急峻な変動への対応である。また、容量面の制約には、需給バランスを取るエリア全体の需給バランス制約と局所的な送電容量の制約がある。

九州で最初に顕在化したのはエリア全体の需給バランス制約であ

る。この問題に対しては、自然変動電源に対する無補償の出力制御の範囲拡大で対応した。変動速度の制約に対しては、火力発電等の出力制御速度や制御範囲の拡大（これを電源の柔軟性増強という）が技術課題となる。

2017年頃から問題が顕在化したのは、局所的な送電容量の制約である。これについては後述する課題対応の中の日本版コネクト&マネージの項目で説明する。

事業規律の乱れ

FIT制度導入以降、再エネ発電、特に事業用太陽光発電が急速に増大したが、20年間の固定価格買取による投資リスクの低下は、利益を求める様々な事業者の参入を招いた。中には、FIT設備として認定を受けたが、認定時の買取価格が維持されるので太陽光パネルのコスト低下を期待して建設・運転を開始せず未稼働状態を続けるもの、森林伐採や景観破壊など地域の環境を乱すもの、大規模太陽光発電設備を意図的に50kW未満の小規模の発電設備に分割する「低圧分割」（50kW未満の設備は配電低圧側に連系でき簡易なプロセスで接続が可能で安全規制も緩和できるため、本来守られるべき安全規制が行われず送配電事業者の系統接続費用の増加等が生じる）など様々な事業規律上の問題が発生している。

また、電気事業者が負担する電気としての価値（回避可能費用）が、当初は一般電気事業者の変動費とされていたため、卸電力市場の価格が回避可能費用を上回る場合にはFITで調達した電気を卸取引所に転売して利益を稼ぐ不当な裁定取引を行う事業者が現れたので、回避可能費用を卸市場価格に連動させることで対応した。

課題解決に向けた再エネ政策に関する審議会

以上のようなFIT制度の様々な課題に対応するため、政府は図3.4に示すような審議会を設置して対応している。この中で、調達価格等算定委員会はFITの買取区分の設定、買取価格、買取期間等を審議し、毎年2月頃に次年度の制度の具体的詳細に関する意見を取りまとめている。一方、総合資源エネルギー調査会の関連する小委員会では、再エネ利用に関する具体的な課題に対する政策の方向性を審議している。この内、再生可能エネルギー導入促進関連制度改革小委では2017年4月より施行された改正FIT法に関して議論を行った。また、再生可能エネルギー主力電源化制度改革小委員会は2020年の国会に提出されたFIT制度抜本見直しに向けた法案に関する議論を行った。本節での課題の整理でも述べたように、FITによる再エネ導入促進の課題は電力システムの在り方と密接に関連しており、審議会の名称にもそれが反映されている。

調達価格等算定委員会(2012年3月6日(第1回)ー、2020年2月4日(第55回)

総合資源エネルギー調査会:
・**新エネルギー小委員会**(2014年6月17日(第1回)ー、2017年1月25日(第17回))
・**再生可能エネルギー導入促進関連制度改革小委員会**(2015年9月11日(第1回)ー、2017年1月25日)
・**再生可能エネルギー大量導入・次世代電力ネットワーク小委員会**(2017年12月18日(第1回)ー、2018年5月22日(第1次中間整理)、2019年1月28日(第2次中間整理)、2019年8月20日(第3次中間整理))
・**脱炭素化社会に向けた電力レジリエンス小委員会**(2019年2月21日(第1回)ー、2019年8月20日(中間整理))
・**再生可能エネルギー主力電源化制度改革小委員会**(2019年9月19日(第1回)ー、2019年12月12日(中間取りまとめ))
・**持続可能な電力システム構築小委員会**(2019年11月8日(第1回)ー、2019年12月19日(中間取りまとめ))

図3.4　FIT導入後の再エネ政策に関する審議会

次節以降では、改正FIT法、系統制約に関する対応、FIT抜本見直しについて順次説明する。

3）改正FIT法による対応

賦課金による国民負担の急増や太陽光に偏った導入等の問題に対処するため、FIT法が改正され2017年4月より施行された。

改正FIT法では、健全な再エネ発電事業の促進に向けて新認定制度が導入された。狙いは、単なる再エネ設備への投資促進ではなく、健全な再エネ事業の促進である。新認定制度では、従来は系統接続申し込み時に行われていた認定を接続契約後に変更し、さらに運転開始期限を設定した。買取価格は認定時の価格が適用されるので、従来の制度では初期の高額な買取価格での認定取得後、太陽光パネルの価格低下を狙って発電所の建設・稼働を遅らせる未稼働案件が大量に生まれたことへの対応である。同時に、事業用太陽光を中心に、森林伐採や景観被害などの社会問題が発生したため、FIT対象事業者に設備管理や情報開示等を義務付けた。

また、コスト効率的な導入を促すために、入札制度の導入を可能とし、中長期的な買取価格目標を設定できるようにした。具体的には2017年度から2000kW以上の太陽光発電の入札を試行的に始め、徐々に入札範囲を拡大した。2018年度には1万kW以上の一般木材発電等でも入札を始めた。中長期的な価格目標としては、2030年の事業用太陽光発電で7円/kWh、風力発電で8～9円/kWh等が設定された。

その他に、改正FIT法では、地熱のようにリードタイムの長い電源の導入促進のため数年先までの買取価格の提示を可能とするとともに、買取義務者を小売事業者から送配電事業者に変更し、また、賦課金減免制度の一部見直しも行われた。

2017年夏からはエネルギー基本計画の改定に向けた審議が始まり、再生可能エネルギーを経済競争力のある主力電源とするという方向性が打ち出された。これを受けて、再生可能エネルギー大量導入・次世代電力ネットワーク小委員会（以下、大量導入小委）が設置され検討が始まった。大量導入小委の主要検討項目は、再エネの発電コスト低減、系統制約克服、需給調整力確保、事業環境整備だった。

発電コスト低減に関しては、入札の活用など競争的環境を生み出して国際水準の価格実現を目指すこととされた。需給調整力確保については、グリッドコードの設定などにより変動性再エネ電源にも調整力を持たせる等の技術的対応とともに、容量市場や需給調整市場等のシステム整備と連携して確保を進めていくことになった。また、事業環境整備については、規制のリバランスと言われているが、発電終了後の設備廃棄費用の積み立てなどの規制強化とともに、買取期間終了後の自立化の支援、一般海域利用ルールの整備による洋上風力の推進などを進めるとした。中心的な課題である系統制約克服については次節で説明する。

4）系統制約の克服に向けて

再エネ電源の大量導入に伴い、電源の系統接続に関して、系統容量が空いているのにつなげない、接続費用が高い、手続きが遅いなどの苦情の声が大きくなってきた。このような苦情の背景には、瞬時瞬時の需給バランスが必要な電気の特性への理解不足もあるが、送配電部門の中立化という電力システム改革に対応した制度の準備不足という側面もある。

この問題に対して大量導入小委は新しい系統利用ルールの創設を目指して、図３．５に示す方向性で検討を進めた。

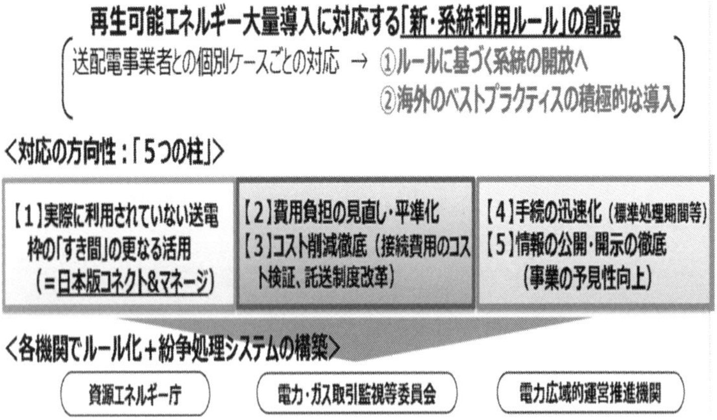

再生可能エネルギー大量導入に対応する「新・系統利用ルール」の創設

（送配電事業者との個別ケースごとの対応 → ①ルールに基づく系統の開放へ
②海外のベストプラクティスの積極的な導入）

＜対応の方向性：「5つの柱」＞

【1】実際に利用されていない送電枠の「すき間」の更なる活用（＝日本版コネクト&マネージ）

【2】費用負担の見直し・平準化
【3】コスト削減徹底（接続費用のコスト検証、託送制度改革）

【4】手続の迅速化（標準処理期間等）
【5】情報の公開・開示の徹底（事業の予見性向上）

＜各機関でルール化＋紛争処理システムの構築＞

資源エネルギー庁　電力・ガス取引監視等委員会　電力広域的運営推進機関

図 3.5　系統制約克服に向けた対応の全体像

系統費用も含めたトータルコストの抑制

太陽光や風力などの自然変動電源は設備利用率が低いので、接続される電力系統の設備利用率も低下する可能性が高い。また、新規の送電線や既設送電網の増強が必要になる場合も多い。つまり、再エネ電源の大量導入は系統費用の増大を招く。効率的な再エネ大量導入のためには、図 3.6 に示されているように（系統費用は NW コストと表記）、発電コストの低減とともに、系統費用の増大を可能な限り抑制する必要がある。

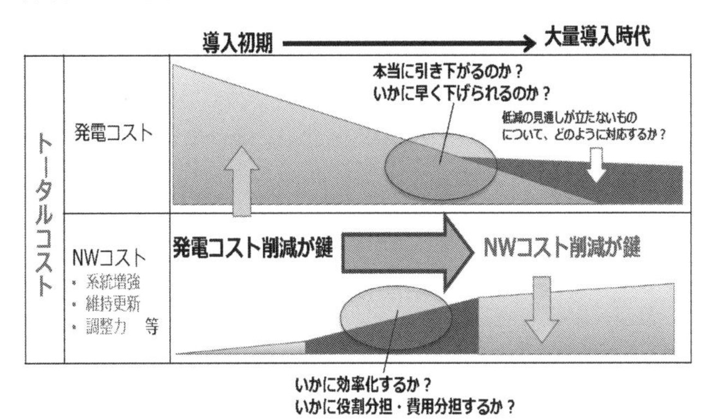

図 3.6　再エネ大量導入に伴うトータルコストの抑制

系統費用の抑制のためには、既存の送電容量をできる限り効率的に運用するとともに、今後の新設や系統維持・増強に伴うコストを抑制した上で、それらのコストを負担するルールを定める必要がある。例えば、託送料金の発電側課金や送配電増強コストの一般負担と特定負担の配分ルール整備等の制度整備を図る必要がある。

託送料金は電源を調達する小売事業者が負担してきたが、発電側にも系統接続する容量（kW）に応じて課金する発電側基本料金を2023 年度から導入することが決まっている。これは発電事業者の特定負担（系統増強の原因が事業者に特定できるものは事業者負担とする行為）のルール（一般負担の上限）を、電源の設備利用率で差別しないようにするという 2018 年に決定された制度変更に対応するものである。また、送配電事業者のグリッドをつなぐ連系線の運用については、従来の先着優先から市場機能を活用する間接オークションへと変更されている。

太陽光発電や風力発電など変動性の再エネ電源の導入が進むと、出力変動に対する調整力の調達量も増大するので、このコストも系統費用の一部として認識する必要がある。火力等による調整の場合には、部分負荷運転による発電効率低下や設備利用率低下に伴う固定費回収ロス、起動・停止回数の増大による損失等がある。

火力発電を調整力に利用すると CO_2 発生が伴うので、長期的には調整力の脱炭素化も必要になる。脱炭素化された調整力としては揚水発電や蓄電池があるが、運用時に貯蔵に伴う損失が発生するほか、新設する場合には設備費が必要になる。DR（デマンドリスポンス）と呼ばれる需要側の対応は、上げDR（需要を増大させること）を含めて将来的には期待できるが、電動車の蓄電池など需要側の資源を利用するビジネスモデルを含めたシステム構築が課題である。P2G（パワーツーガス）と呼ばれる余剰電力による電解水素製造なども検討されている。

日本版コネクト＆マネージ

系統制約克服について、大量導入小委が最初に導入を進めたのは既存系統を徹底的に活用する日本版コネクト＆マネージである。

発電から販売まで垂直統合されていた昔の地域独占の電力会社では、送配電部門の整備・運用も原則として一社内で行われていた。kWh単位で電気を販売して収入を得ていたが、電源の系統運用によって、kW（容量確保）やΔ kW（需給調整）も含めて総合調整を行って電気の品質を保っており、系統費用を含めたトータルコストを管理できていた。

ところが、現在進行中の電力システム改革は、発電と販売は自由化、送配電は公益部門として中立化し、kWh、kW、Δ kW をそれぞれの市場で調整する体制に向けて制度を整備中という段階にある。中立化を求められている送配電部門にとって、自由化された発電部門の事業者に対して、系統への接続をどのようなルールで対処すればよいのか。

日本版コネクト & マネージを導入する前の送電線利用のイメージを図 3.7 に示す。この図では送電線が 2 回線の場合を示しているが、後述する送電線事故を想定したＮ － 1 ルールによって、1 回線分、つまりこの場合は容量の半分は事故時等に対処するための予備容量になる。接続する電源が、送電線事故時等を含めて、常に電気を流せることを保証するとすれば、運用できる容量は全体の半分になる。また、図 3.7 では、予約分を含め接続契約している全ての電源に定格出力分の送電容量が割り振られるとして描かれている。

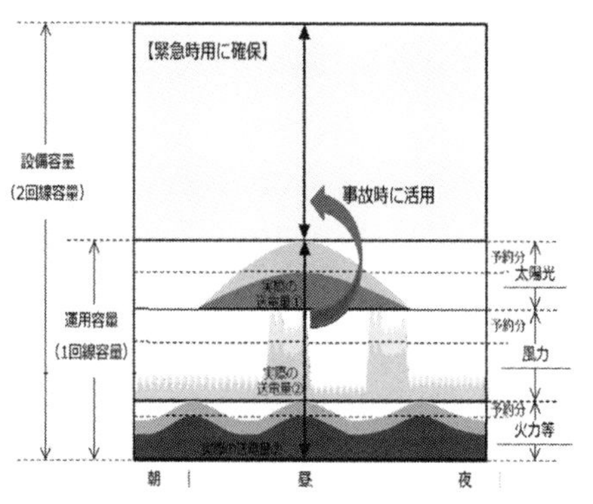

図 3.7　送電線利用イメージ

これに対し、日本版コネクト＆マネージでの対応は３タイプに分類される。

一つ目は、想定潮流の合理化で接続できる空き容量を拡大するものである。今までは接続契約している電源が定格（最大）出力で動くと仮定して空き容量を算定していたが、太陽光や風力は自然条件で出力変動するように、電源はいつも最大容量で運転するわけではない。自社電源を運用していた電力会社では実際の潮流の想定が容易にできていたが、これを中立化した送配電でも可能な限り行う。

２番目は、Ｎ－１電制と呼ばれるものである。Ｎ－１ルールとは、どの送電線１回線が故障・停止しても停電を回避し、周波数や電圧の変動を受入れ可能な範囲に維持する事故等への対応のことである。Ｎ－１電制とは、故障発生時にリレーで瞬時に電源制限を行うことで、事故時に備えたＮ－１ルールによる予備容量の一部を通常時にも使って運用容量を拡大することである。なお、制限された電源は電気を販売できずに損失が生じるが、これは費用負担ルールを決めて対応する。制限される電源と費用負担者が一致する場合については2018年度から運用が開始された。

３番目は、ノンファーム接続と呼ばれるもので、送電容量枠は持たず、空きがある時に送電できるという条件での接続である。空き容量がなくても接続できるが、物理的な需給調整に入る前までには接続枠が与えられるので、需給調整段階での調整ルールが必要になる。以上の３つの対応は昔の電力会社では社内運用として出来ていたはずだが、送配電事業が中立化されると、接続する電源の運用ルールが必要になる。

大量導入小委の資料によれば、以上の３つの日本版コネクトマネージによる効果は図 3.8 のように報告されている。

	従来の運用	見直しの方向性	実施状況（2018年12月時点）
①空き容量の算定	全電源フル稼働	実態に近い想定（再エネは最大実績値）	2018年4月から実施 約590万kWの空容量拡大を確認 ※1
②緊急時用の枠	半分程度を確保	事故時に瞬時遮断する装置の設置により、枠を開放	2018年10月から一部実施 約4040万kWの接続可能容量を確認 ※1，2
③出力制御前提の接続	通常は想定せず	混雑時の出力制御を前提とした、新規接続を許容	制度設計中

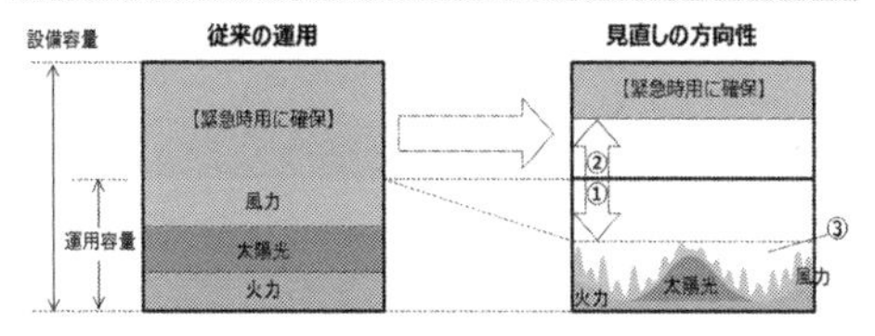

※1 最上位電圧の変電所単位で評価したものであり、全ての系統の効果を詳細に評価したものではない。
※2 速報値であり、数値が変わる場合がある。

図 3.8　日本版コネクト＆マネージの進捗状況（2018 年 12 月時点）

この日本版コネクト＆マネージの効果的な展開のためには、電源制限などのオペレーション（瞬時の電源制限ができる装置がある電源だけが対象）とそれに伴う電源側のコスト負担を分離して運用することが鍵になるが、具体的な対応は全体として最適なオペレーションと負担の公平性の両立に制度の工夫が必要になる。

コネクト＆マネージでは、いずれは系統の安定度維持も問題になると思われる。タービン発電機のような回転力を利用した発電機（同期発電機）の場合には、回転体の慣性によって、系統全体の周波数を一定に維持し、事故等によって需給バランスが崩れた場合にも周波数や電圧の変動を遅くする効果がある。これを慣性力あるいは同期化力という。

太陽光発電のように直流電源をインバータによって交流に変換している発電機には、この同期化力（慣性力）がほとんどない。慣性力のない電源の比率が今後さらに大きくなった場合には、需給バランスが短期間崩れるような過渡時にも系統安定性を維持するために、一定程度の同期発電所を維持するか、インバータ制御等の工夫で同期化力を模擬することが必要になると思われる。

悩ましいのは再稼働待ちの原子力発電の扱いである。原子力は通常は出力一定のベースロード運転をするので系統の利用率も高くなるが、再稼働待ちの停止期間には電力系統に空きが生じる。一方、エネルギー基本計画に記されている原子力目標に対応する送電容量は確保しておく必要がある。再稼働までの空き容量はノンファーム接続に使うことができるが、契約要件を明確にして原子力再稼働時に混乱を招かないよう対処する必要がある。

テーマが少し拡散するが、先ほど少し述べたように、系統制約の克服（自然変動電源を含む需給バランス調整）は電力システム改革と関係が深いので私見を述べたい。

かつての一般電気事業者は、電源計画と整合的な送配電網の整備・運用を行っており、電力需給バランスは、停電の回避とともに電圧や周波数などの品質維持を含め、社内で総合的に調整されていた。一方、現在進んでいる電力システム改革では、卸電力市場（kWh）、容量市場（kW）、需給調整市場（Δ kW、現在は調整力調達）など様々な市場が並立して運用されることになっており、運用主体もそれぞれ異なっている。このような市場の並立の下で、それぞれが適切に協調して運営できるかどうか懸念がある。

今後のさらなる電力システム改革の方向性として、米国のPJM（ペンシルベニア・ニュージャージー・メリーランド地域の電力系統運用と卸電力取引を行う機関）のような広域での機能統合が必要なのではないだろうか。送電部門の所有と運営の分離により、より広域的な系統の整備と運用を実現し、システム全体として効率的な系統部門を実現すべきと考える。このような広域的な系統部門の総合対応により、再エネ電源の導入はより効率的に行えると思われる。

なお、配電部門については、例えば電動自動車のバッテリーを需給調整に利用するなど、アグリゲータによるデマンドサイドの活用のような需要側ビジネスを展開するインフラ提供として送電部門とは異なる対応が求められると思う。このような電力システムの未来については、第6章「電力システム革命」でより詳しく説明する。

5）FIT 制度の抜本見直し

大量導入小委は、2018 年 5 月、2019 年 1 月、2019 年 8 月の 3 回にわたって中間整理を行った。2 回目と 3 回目の中間整理の間には脱炭素化に向けた電力レジリエンス小委（略称、脱炭レジリエンス小委）を並行して設けて、主として電力システム改革に関連する対応を審議した。これらの審議会の議論を受けて、FIT 抜本見直しと電気事業法改正を視野に、2019 年 9 月から再生可能エネルギー主力電源化制度改革小委（略称、主力化小委）、2019 年 11 月から持続可能な電力システム構築小委（略称、構築小委）を設置し、それぞれ 12 月に中間取りまとめを行った。本節では主力化小委の取りまとめに基づき、FIT 制度の抜本見直しについて説明する。

電源の特性に応じた再エネ導入支援

主力化小委の中間取りまとめは、電源の特性に応じた支援制度、事業規律等、再エネ主力時代の次世代電力ネットワーク、その他の論点の4項目で構成されている。中でも、電源の特性に応じた支援制度はFIT抜本見直しの中心になるものである。

まず支援の対象とする再エネ電源を、電力市場でコスト競争に打ち勝って自律的に導入が進むことが見込まれる電源「競争電源」と地域で需給一体的に活用されることにより災害時のレジリエンス強化やエネルギーの地産地消に資する電源「地域活用電源」に分ける。

i）競争電源はFIPへ

競争電源の対象となる電源区分は、大規模太陽光発電や風力発電等と見込まれている。競争電源については、欧州等で導入が進んでいるFIP（Feed-in-Premium）制度での支援を図る。FIPとは、基準価格（FIP価格）を入札等により設定し、市場価格に基づく参照価格との差分をプレミアムとして交付する制度である。FIP制度の概要を図3.9に示す。

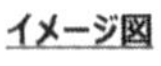

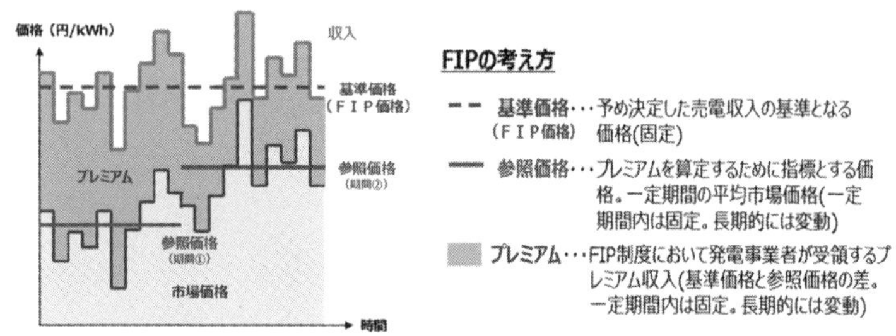

図3.9　FIP制度の概要

図3.9に示されているように、FIP制度は、FIP価格と参照価格を設定し、その差分をプレミアムとして卸電力市場の価格に上乗せす

る制度である。つまり、卸市場価格にプレミアムを上乗せして市場との連動を図る制度だが、参照価格の決め方で買取価格の変動は大きく変わる。

参照価格を30分毎の卸市場価格とすれば、プレミアムは市場価格とFIP価格との差分になるので、電気は一定価格（FIP価格）で買い取られることになる。なお、中間取りまとめでは、参照価格（この場合は30分ごとの卸市場価格）がFIP価格より高くなってもプレミアムをマイナスにするのは避けるべきとの指摘がある。この場合はFITとほとんど変わらず、買取価格は安定し、投資インセンティブは強くなるものの市場価格を意識した行動は促しにくい。一方、参照価格を固定すれば、FIP価格との差分のプレミアム額も固定され、その一定額が市場価格に上乗せされて市場価格と完全に連動して買取価格が変動する。この場合は投資の予見性は下がるが、市場価格を意識した発電行動を促すことができる。図3.9にイメージとして描かれているように、参照価格は市場価格を基に決めるが、時間帯によって変化させることもできる。中間取りまとめでは、このイメージのような中間型の制度が適当としている。

FIP制度に移行する競争電源については他にも制度変更がある。現在、発電事業者には計画値同時同量制度が適用され、計画値と実績値の差分調整の費用負担（インバランス負担）が課せられているが、FIT認定事業者は買取義務者である一般送配電事業者との特定契約に基づきインバランス負担を免除されている（インバランス特例）。中間とりまとめでは、このインバランス特例は廃止するとしている。また、再エネ電気の環境価値については、現行FIT制度では賦課金を負担する全需要家に帰属するとされているが、FIP制度においては、再エネ発電事業者に帰属され、非化石価値取引による収入を踏まえてプレミアム額を設定（つまり、交付金を減額）するとされている。

ii）地域活用電源には事業形態を要件化

小規模太陽光発電や小水力、バイオマス発電等が地域活用型の対象とされ、地域活用要件を満たせばFITが継続される。地域活用要件としては、自家消費型と地域消費型（地域一体型）の2タイプが想定されている。自家消費型は、系統負荷の小さい形で事業が行われ災害時には自立的に活用されることでレジリエンス強化に資するものとされている。地域一体型は、災害時に地域住民に利用されることを前提に、熱電併給の活用など地域と一体的に事業が実施されるものとされている。

このうち、自家消費型については、2020年2月の調達価格等算定委員会の意見により、2020年度から10kW以上50kW未満の小規模太陽光発電に適用されることになった。この場合、災害時に活用できるようブラックスタートが可能で給電コンセントを有することが求められ、FIT認定時に自家消費計画（30％以上自家消費が条件）の提出を求め、買取価格の設定は自家消費比率50％を前提に算定する（結果として2020年度は13円/kWh）こととなった。

なお、将来的な検討事項となっているが、営農型太陽光発電（ソーラーシェアリング）は自家消費を行わない場合でも災害時の活用が可能な場合には地域活用要件として認めるとか、小規模の地熱や小水力、バイオマス発電についてはレジエンス強化と地産地消の双方の観点を考慮して、地域マイクログリッドや地方自治体自らが取り組む事業については地域一体型として認めてはどうか等の意見が出ている。地域活用要件を定めて施行する時期は2022年4月が原則とされ、それまでは推奨事項となっている。また、地域活用要件を適用する発電容量については、バイオマスの場合には1万kW未満、中小水力については1000kW未満、地熱については2000kW未満の可能性を示している。

事業規律等

地域に根差した再エネ導入の促進を目指して、主力化小委の中間取りまとめでは、地域からの信頼確保と地域共生の視点から議論をまとめている。

地域からの信頼確保については、標識・柵塀の設置義務違反者に対する厳格な対応、再エネ電源の稼働状況などに関する公開情報の拡大、太陽光発電設備の廃棄費用の原則外部積み立て（交付金から天引き）、保険加入の努力義務、安全対策の強化を進めることとされた。地域共生については、好事例の普及・展開を進め、条例等により地元との対話を促進するとしている。

再エネ主力時代の電力ネットワーク

このテーマについては、主として構築小委で議論された内容を取りまとめている。本章4節の系統制約の克服の説明で紹介した日本版コネクト＆マネージは既存系統を最大限活用する方策であるが、FIT抜本見直しに向けた主力化小委の中間取りまとめでは、更なる対応として、今後の系統の増強・整備に向けた対策を提案している。詳しくは電力システムの未来を記した第6章で説明するが、内容的には、プッシュ型の系統形成と費用負担、分散グリッドの推進の2

点に集約される。

系統形成と費用負担については、「プッシュ型」で計画的に系統形成を行い、地域間の連系線を中心に費用便益分析を行って増強を決定し、費用負担については便益に応じた負担を基本とする。その中でCO_2削減のメリットを含め再エネに関する便益分については全国一律の賦課金方式を活用して整備する。また、構築小委の中間取りまとめでは、配電事業ライセンスやアグリゲーターライセンスの導入が提案されており、再エネ電源の普及に向けて、これら新制度を活用して分散型グリッドを推進する。

その他、認定取得後長期にわたり運転が開始されない場合には、系統容量の仮押さえ排除の視点から、認定失効など厳格な法的処理を行うことにしている。低圧分割案件に対してもより厳格な対応をする。また、FIP制度による認定事業者へのプレミアム交付や系統増強に対する賦課金方式による交付、インバランス清算等新たに発生する業務を安定的に管理するため、電力広域的運営推進機関を主体として業務を一括して担わせることとした。

6）再エネ主力電源化が導く未来

このような経済的に自立した再エネの主力電源化への取り組みを契機として、次世代の電力ネットワークが展開し、新しいイノベーションが導かれるという視点もある。FITから自立した再エネ電源の最初の事例となるのは、2019年10月に余剰買取が終了した住宅用太陽電池である。集約して仮想発電所（VPP）の電源として活用するなど、買取終了後の再エネ電源の有効活用に向けて様々な試みが行われている。一方、需要側では、RE100に参加して使用する電気全てを再エネにすることを宣言する企業が増えるなど再エネ電気の需要喚起が進んでいる。再エネ主力電源化への取り組みは、技術と社会のイノベーションを通して、社会インフラやビジネスの構造を大きく変えるエネルギーシステム革命を導くのではないか。

（本章の３節と４節は、「電気評論」2018 年６月号への寄稿論文「再生可能エネルギー大量導入の課題と対応」に基づいて記述した）

4. 核エネルギーの未来

福島原子力事故後、原子力の未来、特にわが国の原子力の未来は見通しが難しい状態になった。技術の利用は、技術の性能や経済性だけでなく、社会の判断に影響を受けて決まる。現状では原子力に対する社会的信頼は大きく低下している。このような状況の中で、原子力の技術的特性を踏まえて未来を語ることに虚しさを感じている。本稿では、原子力リスクに関する社会的認知など、原子力の社会的側面に重点を置いて私の考えを取りまとめたい。

原子力の技術的本質は、原子核の中に閉じ込められている莫大なエネルギーを人類の英知が見出し、それをエネルギー源として利用する技術を実用化したことにある。化石燃料やバイオマスのような化学物質の燃焼によるエネルギーは、原子核の周辺にある電子の状態を変化させること（化学反応）によって発生している。原子核の反応によって発生する単位重量当たりのエネルギーは、化学反応によって発生するエネルギーの約 100 万倍になる。また、原子核反応では放射性物質を残すが、地球温暖化の原因となる CO_2 は発生しない。これが原子力技術の本質的意義であり、この意義は不変である。

なお、本稿では、無理のない範囲で、原子力を核エネルギーと表現することにした。原子（分子）の化学反応ではなく、原子核の反応によるエネルギーであることを示すには核エネルギーの方がより適切と考えた。また、核エネルギーには核分裂反応によるものだけでなく核融合反応によるものも含まれる。

1）核エネルギーの基本的意義

私は福島原子力事故が発生する前の2009年に『原子力の過去・現在・未来』（コロナ社）を出版した。この本の最後で、核エネルギーの基本的意義について次のように述べている。

「石油や石炭、天然ガスなどの化石燃料と比べて、20世紀に登場した核エネルギーは際立った技術的特徴を持っている。そもそも、19世紀期末にいたるまで、人類は核エネルギーの存在すら知らなかった。核エネルギーは当時最先端の科学技術の中で見いだされ、そのエネルギー密度の高さと莫大な潜在エネルギー供給力の大きさに人々は驚嘆した。また、化石燃料は、それぞれ蒸気機関やガソリンエンジン、ガスタービンなど、それを利用する技術の発明に引きずられてエネルギー文明の舞台に登場したのに対し、核エネルギーは、まずエネルギーを発生させる装置、つまり原子炉の技術開発から始まった。このような科学・技術と密接に結びついた特徴のゆえに、核エネルギーは技術エネルギーと呼ばれ、核エネルギーの発見が『火』の発見にも例えられる。」

ここでは核エネルギーの科学・技術的意義が強調されていて、社会との関係が見えていない。核エネルギーの科学・技術の先端性・革命的意義を強調することは、社会と核エネルギーの関係を築くうえでは逆効果になる側面があり、核エネルギーは不可知なもの、理解が難しいものという印象を与えてしまう可能性がある。もっとも、私はこのような認識に引き続いて、次のように書いている。

「核エネルギーは最終的にはエネルギー資源の有限性を克服し、人類に地球環境の制約から逃れることすら可能にする潜在力を持っている。しかし、石油文明の後に、原子力文明が歴史の必然としてやってくるわけではない。核エネルギーの価値は、それを利用する技術に決定的に依存する。核エネルギーが独自の文明を形成するには、地球の有限性の下で安定的にエネルギー供給を行い、人間社会に受け入れられるものでなければならない。核エネルギーを推進するものには、この重大な使命が課せられている。」

その通りだと今でも考えているが、「核エネルギーが人間社会に受け入れられるもの」になるかどうか、これが今まさに問われている。以下、福島事故後の核エネルギーの状況を概観した上で、放射線被ばくリスクを中心に、核エネルギーと人間社会との関係を考えたい。

2）福島原子力事故後の原子力発電の状況

わが国の状況

2011 年３月の福島原子力事故発生以前には、原子力発電はわが国の総発電量の３割程度を担っていた。福島事故後、わが国の原子力発電所の状況は図４．１に示すとおりである。わが国の商業発電用原子炉は 57 基（東海村のガス炉を含む）建設されたが、福島事故前に３基（東海ガス炉と浜岡 1、２号）の廃炉が決まっており、事故直前には 54 基（約 5400 万 kW）になっていた。

福島事故後、現在までに新たに 21 基の廃炉が決定した。残り 33 基の内、現在までに再稼働したのは９基である。再稼働待ちの残りの原子炉がすべて稼働したとしても発電設備容量は約 3300 万 kW に留まる。建設中の３基（島根３号、大間、東電東通）が運転を開始すればこれに約 400 万 kW が加わる。再稼働待ちの原子炉と建設中のものが全て運開したとしても、原子力発電規模は約 3700 万 kW。この規模での原子力発電電力量を計算してみよう。

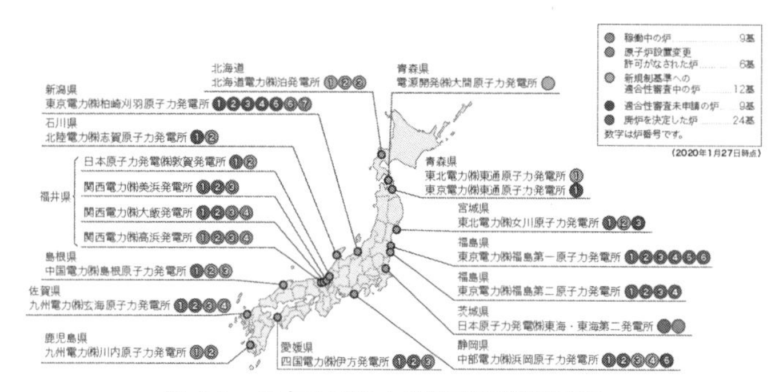

図 4.1　日本の原子力発電所の稼働状況
出所：日本のエネルギー 2019、経済産業省・資源エネルギー庁

原子力発電所の設備利用率は、世界的には 85％程度であるが、福島事故前のわが国では検査の不正や地震の影響もあって 70％程度に低迷していた。3700 万 kW の原子力発電所を設備利用率 70％でしか運転できないとすれば、発電量は年間 2300 億 kWh になるが、世界水準並みに 85％で運転できれば 2750 億 kWh になる。わが国の年間電力需要は 1 兆 kWh 程度で今後も大きくは変動しないと想定されるので、設備利用率 70％でも、電源構成に占める原子力比率 20 ～ 22％というエネルギー基本計画の 2030 年目標は達成できるという計算になる。

ただし、再稼働待ちの原子力発電所の中には原子力規制委員会に原子炉設置許可申請をまだ行っていないものもかなりある。また、規制上は運転開始できる状態になっても地元との了解を得るプロセスが難航する場合も多い。このように既存原子炉の再稼働も、原子力に対する社会の信頼がなければ、順調に進めることは難しい。わが国のエネルギー安全保障や地球温暖化対策として原子力を活用するためには、長期的には原子炉のリプレースや新増設が必要だと思うが、今は既存炉の再稼働と建設中の原子炉の運転開始に最大限の努力すべき時期であると私は思う。

世界の原子力の状況

福島原子力事故後の世界の原子力の状況はどうだろうか。図4.2に世界の原子力発電所の運転開始と閉鎖の推移を示す。ここに示されているように、原子力発電所の運転開始は1970年代から1980年代に集中している。1979年のTMI事故（米国スリーマイル島原子力事故）の影響で窪みがみられるが、最盛期には毎年20基程度の発電用原子炉が運転を開始していた。1986年のソ連（当時）のチェルノブイリ原子炉事故の影響を受けて、1990年代以降は新設・運開と閉鎖がほぼ拮抗したが、世界の原子力発電規模は正味では微増し現在では約4億kWになった。

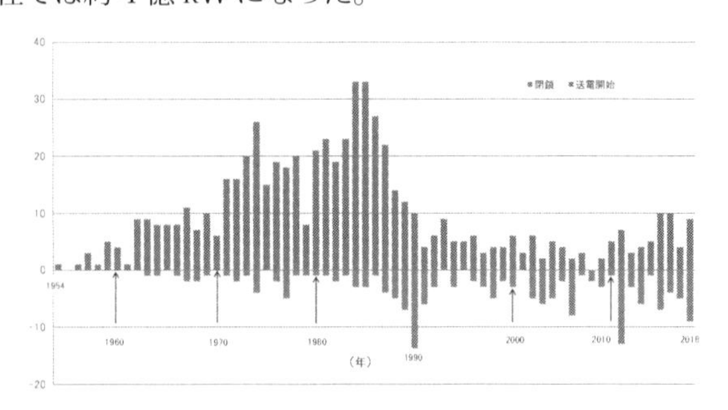

図 4.2　世界の原子力発電所の送電開始と閉鎖の推移
出所：最近の世界の原子力発電開発動向データ、日本原子力産業協会（2019）

今世紀に入ると原子力ルネッサンスと呼ばれる原子力復興の動きがあったが、運転開始規模にその影響が表れ始めた頃に福島原子力事故（2011 年 3 月）が発生した。しかし、図 4.2 をよく見ればわかるように、世界的に見れば、福島事故後も原子力の新設・運開が確認できる。図 4.3 に示すように、2019 年 1 月現在の世界の原子力設備容量は約 4 億 kW で、導入規模が大きいのは、米国、フランス、中国で日本はそれに次ぐ第 4 位である。

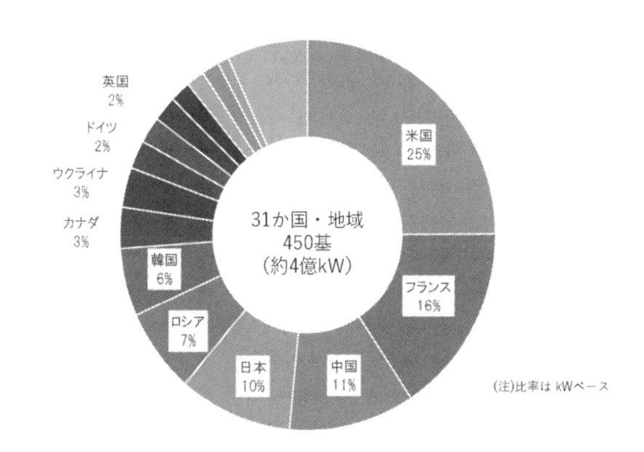

図 4.3　世界の原子力発電容量とその国別内訳（2019 年 1 月現在）
出所：最近の世界の原子力発電開発動向データ、日本原子力産業協会（2019）

図 4.4. には、2019 年 1 月現在の世界で建設中の原子力発電規模約 6200 万 kW の国別シェアを示す。ここに示されているように、建設中の原子力規模が大きいのは中国で、次いで韓国、アラブ首長国連邦（UAE）、インドと続く。つまり、今後の原子力発電の伸びが期待されるのは新興国や発展途上国である。

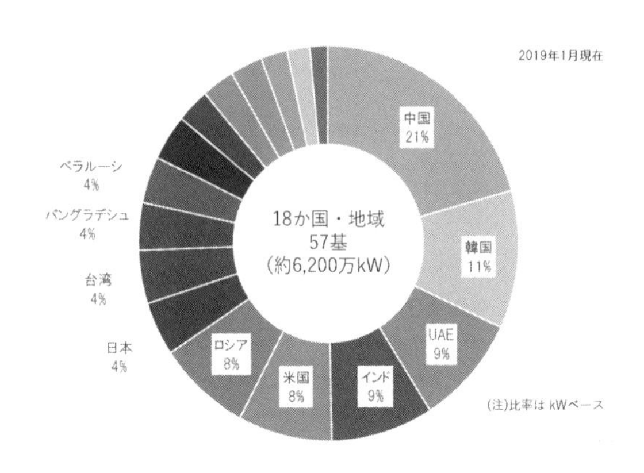

図 4.4　建設中の世界の原子力発電設備容量（2019 年 1 月現在）
出所：最近の世界の原子力発電開発動向データ、日本原子力産業協会（2019）

特に中国における原子力規模の拡大と原子力産業の成長は注目される。私は 2016 年夏に中国で開催された原子力に関する国際会議で招待講演を行ったが、国内外から有力企業（残念ながらわが国の存在感は希薄）が多数参加し、議論は活発で迫力があった。その時の会議で得た情報では、2020 年の中国の原子力発電規模目標は 5800 万 kW とされていた。現実にも、2019 年 1 月時点の中国の原子力発電規模は 44 基、約 4500 万 kW で、わが国を抜いて世界第 3 位となり、建設中の原子炉も多数あるので 2020 年目標はほぼ達成できそうである。フランスと米国を抜いて中国の原子力規模が世界最大になる日もそう遠くはないと思われる。EPR や AP1000 など第 3 世代と呼ばれる軽水炉の最新型も中国で初めて運転を開始しており、中国国産の改良型第 3 世代炉も運転を開始している。パキスタンなどへの原子炉輸出にも実績を挙げている。

ここ 10 年で世界の原子力産業の構造は大きく変化している。わが国や欧米の原子炉メーカーには退潮が目立ち、代わって中国とロシアの存在感が増している。韓国も国内では原子力撤退の動きがあるが、アラブ首長国連邦の 4 基の原子炉受注を勝ち取り、間もなく運転開始の見込みである。
つまり、福島事故後も、主要プレーヤーの交代はあるが、世界の原子力発電の伸びは継続している。このような状況の中でわが国はどうするのか、視野を広く持って真剣に考えるべき時である。

3）放射線被ばくリスクへの対応

現在、国民の多数から原子力発電は嫌われている。表現を多少緩めても、核エネルギー利用に伴うリスクについて多くの国民が不安を抱いている。不安の根源は、第 1 に福島原子力事故のような原子力災害リスク、次いで、まだ処分場所が決まっていない高レベル放射性廃棄物、そして核物質の兵器転用のリスクに分けられるだろう。この中で、核兵器転用リスクについては、この問題の専門家を除く一般国民にとっては、唯一の核被爆国として平和利用に徹しているわが国では他の 2 つと比較して相対的に不安感は小さいと思う。

核エネルギー利用について社会的信頼を得る上で問題となるのは、原子力災害リスクと超長期の安全確保が要求される高レベル放射性廃棄物だろう。本章の冒頭でも述べたように、このような不安への対応に関する技術的事項を丁寧に説明するのは本稿の目的ではない。ここでは、この 2 つの不安の根源にある放射線被ばくリスクへの対応について述べる。

リスクマネージメントとクライシスマネージメント

放射線リスクへの対応について述べる前に、一般的なリスク対応の基本的な考え方について述べておきたい。福島事故後の議論の中で、私を含めて多くの識者が原子力安全対策の深層防護に言及している。事故の教訓として、事故以前では５層で構成される深層防護のうち、異常の発生防止、異常の事故への進展防止、事故の炉心損傷への進展防止という３層目までに対策を集中しており、過酷事故（人体に影響を与えるレベルの放射性物質が発電所敷地外へ放出される事故）への対策（第４層）と過酷事故が発生した場合の周辺避難（第５層）が軽視されていたという指摘がある。私は、対策が実質的に第３層までに留まっていたのは過酷事故の想定自体が国民に不安を与えることを懸念していたためであり、これが安全神話の元凶だと考えている。

事故後の規制の強化により、過酷事故への対策（第４層）は格段に強化されている。しかし、第５層の過酷事故が発生した場合の防災対策は、周辺自治体や国家が主導して行うべき社会的対応で、その内容について十分な理解が進んでおらず、国民に不安が残る状況となっている。

一般的にも、危機対応の基本は最悪事態の想定とそれへの対応である。これには最悪事態を発生させないリスクマネージメント（事態の発生防止）とともに、最悪事態が発生したときのクライシスマネージメント（危機対応）の両面が必要になる。原子力発電所周辺に健康被害を与えるレベルの放射性物質放出があった場合に、どのように避難などの防災行動をとるべきか、クライシスマネージメントではそれが問われる。

核エネルギー利用に伴うクライシスマネージメントでは、放射線被ばくの水準に対する健康リスクがどの程度かというリスク認知について科学的に正しい理解が不可欠である。なお、核融合については一般的には核分裂反応を利用する今の原子力発電より安全と思われているが、実用化が期待できる核融合炉の燃料はトリチウムという放射性物質であり、核融合反応から発生する中性子は構造材等の物質を放射化するので放射線被ばくと無縁ではない。

放射線被ばくの現状とリスク

核エネルギー燃料であるウランをはじめ、半減期が億年単位で元素創成以来今でも残っている天然の放射性物質が我々の生活環境に恒常的に存在している。人間の体内にもカリウム 40 を主として一人当たり約 7000 ベクレル（ベクレルは放射能の単位で、1 秒当たり 1 回の核崩壊）の放射性物質が保持されている。体内の放射性物質の中には、主として宇宙線によって生成されるトリチウムも含まれている。体内の放射性物質の他、食品や生活環境に含まれる放射性物質、宇宙線などによって、我々は 1 年あたり数ミリシーベルトの放射線被ばくを受けている。

放射線被ばく防護については、保守的（安全サイド）想定の下で、放射線被ばくによる健康影響には無害という閾値は無く、被ばく線量に比例する健康影響があると仮定（Linear Non Threshold: LNT 仮説）して管理を行っている。しかし、科学的なデータでは、短期被曝の場合でも 100 ミリシーベルト以下の被ばくによる健康影響は確認されていない。また、被曝の線量率（被曝速度）が低ければ影響は低下するがその詳細は確認されていない。このような科学的知見の状態の下で、LNT 仮説を前提として放射線被曝は可能な限り避けるという原則で放射線防護が行われてきた。

通常時の放射線防護では、可能な限り被曝を避けるという原則には合理性が認められるが、原子力事故時の避難のような防災対応にも同じ原則を適用すると問題が生じる。これは、出来る限り放射線被ばくを避けるという原則によって選ばれる避難などの行動が別のリスクを生み出すからである。具体的には、防災時の病人も含めた避難行動によって、避けられたはずの多くの災害関連死を引き起こした。リスク・トレードオフ（各種リスクのバランスを取ること）やリスクの最適化（総合リスク最小化）という概念は、事前に周到に計画しておかなければ現実の防災には役立たない。

また、LNT 仮説による放射線防護を原子力事故防災に適用したことは、事故後の除染や帰還などにも大きく影響し、結果として合理性が疑われる多大な除染作業が行われたことに加え、風評被害を招き、避難した住民や周辺の国民に大きな不安を与えた。

核実験と福島原子力事故による放射線被ばく

私は原子力工学科の学生時代、確か 1970 年頃だと思うが、体内の放射性物質の計測をしたことがある。講義の一環だったが、今でいうホールボディカウンターによる検査である。記憶は朧気になっているが、セシウム 137 とストロンチウム 90 の存在を示すピークはよく覚えている。当時は大気中核実験禁止条約の成立からそれほど年月が経っておらず、条約に加盟していなかった中国は大気中核実験を行っており、当時のわが国での放射性物質フォールアウト（大気から地表への放射性物質の落下量）は、1990年頃から安定していた福島原子力事故前と比べて3桁程度高く、私の子供時代（1960年頃）にはさらに一桁高かった（気象研究所地球化学部の計測による）。私と同年代の日本人は皆このような核実験による放射線被ばくの経験がある。

記録では、チェルノブイリ事故後も一時的にわが国の放射性物質フォールアウトは通常より4桁ほど高いレベル（私の子供時代の水準）になっているが、その後短期間で通常の水準に戻っている。

さて、放射性物質フォールアウトの計測は福島原子力事故前後でも行われている（場所は茨城県つくば市）。その結果によれば、事故直後の2011年3月には私の子供時代（1960年）より2ケタ以上高い値が観測されているが、同年夏には1960年水準にまで下がり、短期間で通常状態に戻っている。核実験の放射性物質フォールアウトによる健康被害については、私が調べた範囲では科学的に信頼できる情報はないが、少なくとも私と同世代の日本人に、他の世代と異なる健康状態が発生しているとは思えない。

4）正しいリスク認知が核エネルギーの未来を拓く

福島県では、震災の直後の死者が1600人程度であるのに対し、震災関連死が2200人を超えている。岩手県や宮城県に比べて福島県での関連死者数が大きいのは、福島原子力事故による避難に伴う死者が多いためである。

福島原子力事故による放射性物質放出量はチェルノブイリ事故の約7分の1と評価されており、事故後の速やかな避難やヨウ素131（半減期8日）の摂取抑制措置（牛乳の飲食制限等）などによって放射線被ばく量は相対的に低いレベルに抑制されている。多くの研究者の追跡調査によって、ほとんどの避難者（90％以上）の追加被ばく線量は年間1ミリシーベルト以下であることが分かっている。放射線被ばく防護のLNT仮説に立てば安全だとは断定はできないが、インドなどでは年間10ミリシーベルトを超える地域で大勢の人々が生活し、特段の健康影響も観測されていないことを考慮すれば心配するレベルではない。

つまり、福島原子力事故という不幸な経験を通して、放射線被ばくによるリスクと避難行動によるリスクを比較すること（リスク・トレードオフ）が可能である。私見だが、福島事故時において、病院の患者など移動が困難な人々には屋内退避（食料等の支援が前提）を継続していれば被害は少なく押えられたと思う。もちろん、これは結果を知っている者の後知恵であって、事故の進展が不明な状況下での判断が難しいのは承知している。言いたいことは、放射線被ばくのリスクを科学的知見を超えて過度に評価すると、別のリスク（この場合は避難に伴う弱者の死亡リスク）を高め、全体としてリスクを大きくしてしまうということである。言い古された表現になるが、放射線被ばくリスク対応においても、正しく恐れることが重要である。

科学的知見に基づく放射線被曝リスクに対する冷静な対応が出来なければ、核エネルギーに未来はないと思う。

以下、本章に関連する電気新聞の時評「ウェーブ」等の小論5篇を添付する。

管見：最近の中国事情

10数年ぶりに国際会議出席のため中国を訪問した。場所は浙江省の省都杭州、市の中心部を銭塘江が流れ、川の北側には観光地として名高い西湖がある。隋の煬帝が完成させた北京と結ぶ大運河の終着点でもある。中国経済に陰りが出ているとはいえ、杭州では高層ビルの建設ラッシュが続いており、高速道路は縦横に整備され、地下鉄の建設も進んでいる。

会議は若手が中心となって開催する原子力に関するものだったが、中国は原子力発電所の建設ラッシュで国内外から有力企業が多数参加し、議論は活発で迫力があった。福島事故後のわが国の原子力事情との落差は大きく、圧倒される思いがした。

2014年の統計で、中国の一次エネルギー所要量は日本の6.5倍、発電量は5.3倍で、いずれも米国を抜いて世界最大になっている。原子力については多くのプロジェクトが急速に進行していて、わが国の太陽光発電規模と同様に、時点を特定しないと正確なデータが把握できない。今回の会議で得たデータによれば、2015年時点で、運転中の原子力発電規模は2550万kW、建設中は3200万kW、2020年の運転容量は5800万kWを見込んでいる。最近5年間の平均設備利用率も88％と良好である。特に建設中の原子力規模は世界最大で、今後しばらく中国が世界の原子力市場を牽引することは確実である。計画中のものも含めると1億kWを超えていて、原子力でも中国が世界一になる可能性が高い。

ところで、今回の出張では中国の発展のチグハグさも印象に残った。一つは英語である。会議に参加している若者は英語が非常に上手なのだが、街では全くダメ。会議場となった近代的なホテルに宿泊したが、フロントを含めて、ホテル内でも英語が十分には通じない。杭州では今年（2016年）9月にG20が開催される予定で、街中に歓迎の看板が掲示されているが、大丈夫かなと不安になる。

泊まったホテルは川の南岸の新開発地区にあり、旧市街とは離れているので外国人客に慣れていないのかもしれない。確かに客の多くは富裕層らしき中国人で、ここ10年余りの急成長で近代的ホテルの客の主体が外国人から国内需要に変化した可能性もある。

地下鉄を乗り継ぎ40分ほどかけて西湖まで行ったが、新設の地下鉄では冷房がよく効いていた。40℃前後の外気温に備えた軽装の身には凍えるほどだ。改札口では手荷物検査があり、車内には多数の保安要員が巡回している。危険を感じるようなことはなかったが、確かに客の行儀は良くない。下車する客をかき分けて乗車する人も多く、車内は大声の会話で騒々しい。「文明素質」など礼儀正しい行動を促す看板が至る所に掲示されているが、「衣食足りて礼節を知る」も道半ばというところか。

ホテルの部屋のテレビではNHKの海外放送が見られたが、南沙諸島をめぐる国際裁判のニュースの中で、岸田外相の発言中に突然画面が消えた。情報統制は厳しいと聞いていたが初めての経験だった。中国でもインターネットはよく発達していて、わが国と同じく、地下鉄の乗客のほとんどがスマホをいじっている。しかし中国では、通常のアクセスではグーグルの検索が使えない。巨大な人口を抱える多民族国家を統治する難しさは理解できなくもないが、表現の自由が保障される普通の民主主義国家との違いを改めて認識した。

地下鉄やタクシーの料金はまだ割安感があるが、物価は10年前と比べると相当値上がりしている。いくら巨大な人口を抱えていても、インフラ投資の拡大には限界があるだろう。地下鉄車内で見た一人っ子政策で大事に育てられた若者の行儀の悪さからも、この国の将来に懸念を感じた。

（電気新聞、時評「ウェーブ」、2016 年 8 月 10 日）

言葉のイメージ

もう旧聞に属するが、福島原子力事故直後に「炉心溶融」という表現が問題になった。最近も東京電力の第三者委員会が、会社のマニュアルには炉心溶融の定義があったのに、社長の指示でこの言葉が意図的に避けられ、その背景には官邸側からの指示が推察されると報告し、事故当時の民主党内閣幹部からの反発を招いた。

東京電力の「アクシデントマネジメントの手引き」には、炉心損傷割合が 5％を超えると推定されるときは炉心溶融と判断する旨記されていたらしい。そして、当時の原子力災害特措法の施行規則には、炉心溶融の判断が原子力緊急事態宣言（15 条）の要件の一つとされていた。

炉心溶融という表現を避けたことに法制度上の問題があるのは明瞭であるが、事故直後の状況の中での政治的判断としては理解できる側面もある。今でもそうであるが、炉心溶融＝メルトダウンというイメージがあり、メルトダウンと言われると確かに怖い。原子炉圧力容器も格納容器も含めて原子炉全てが溶け落ちるようなイメージがある。

炉心溶融とは、炉内構造物とともに核燃料が溶融することだが、理屈を言えば溶融燃料を使う原子炉設計もあり、溶融そのものが怖いわけではない。溶融に至らなくても、危険な量の放射線や放射能が炉外に放出されるだけで十分怖い。炉心溶融＝メルトダウンという言葉のイメージが世間で広く共有されている中での政治的混乱と理解できるので、私はこの問題では誰も責める気にはならない。

言葉のイメージが引き起こす問題として、記憶に新しいところでは、福島事故炉の廃炉に関する「石棺」問題もある。原子炉に関して石棺と言えば、チェルノブイリで行われている溶融燃料（デブリ）を取り出さず、事故炉全体を厚いコンクリート容器内に長期保管する対処方式を意味する。福島ではデブリは取り出して最終処分することが基本とされているが、廃炉機構が技術戦略プランの中で、石棺方式に言及したことが地元から大きな反発を招いた。

事故炉のデブリを含め、高レベル放射性廃棄物への対処法は、地層処分のような最終処分が基本である。しかし、ガラス固化体や使用済燃料のような通常の高レベル廃棄物でも、最終処分の前に長期の暫定保管が提案されている。最終処分に至る時間軸を考えればデブリへの対処についても安全な保管は重要な選択肢だと思うが、「石棺」という言葉のイメージはいかにもまずい。

廃炉機構は「国語力の問題」を認めて石棺という表現を撤回したが、言葉のイメージに負けて長期保管という重要な選択肢を放棄したのなら、それこそが大きな問題である。

原子力以外の分野でも、言葉のイメージが持つ不可解な影響を感じることがある。例えば「民泊」。私が京都で使っている宿泊所のマンションでも民泊らしき旅行者を見かける。壁やエレベーターに夜間騒がないようにと記した英語の注意書きがあり、「民泊」のイメージは悪い。しかし、一方では「シェアリングエコノミー」という響きのよい言葉もある。所有権にかかわらず遊休資源を有効利用する経済を表す魅力的な概念だ。民泊はまさにシェアリングエコノミーそのもの。周りに迷惑が掛からないよう制度を整備すれば、大きな展開が期待できる。ただし、制度の名称は工夫した方がよい。

記録できる書き言葉がなく、発声しかなかった時代から、言霊（ことだま）という概念があった。言霊となって、言葉は事実を意味する「事」と同じ重さを持つ。情報社会となった現在では、言葉が様々なイメージと結びついて、言霊は予想が難しい大きな影響力を発揮する。言葉は慎重に選ばなければならない。

（電気新聞、時評「ウェーブ」、2016年9月10日）

もんじゅ「廃炉」が問うもの：核燃サイクル矛盾せず

原子力規制員会がもんじゅの安全管理問題を指摘したことが今回の議論のきっかけをつくったが、論議の本質は高速増殖炉の意義を考えることにある。

高速増殖炉の意義は徐々に変化してきた。原子力開発が始まった当初、高速増殖炉は原子力が最終的に到達する夢を示した。軽水炉はウランのエネルギーのすべてを利用し尽くせない。高速増殖炉はこの弱点を補い、ウランをプルトニウムに変えてすべて利用できる。この夢は今も変わらない。

ただ実験炉から始まり原型炉、実証炉を経て実用化に進む原子力の巨大技術プロジェクトにはお金も時間もかかる。続けるには安定的な国民の支持が必要だ。東京電力福島第一原子力発電所事故を経た今、そのような条件はない。

開発当初の見通しに比べ、バックエンド（使用済み核燃料の再利用や廃棄物処分など）にかかる費用も10倍以上に増え、プルトニウム利用が高くつくと分かってきた。これは福島事故以前から指摘されていた。今の議論は遅すぎた感がある。

高レベル放射性廃棄物の減容や毒性を低減する研究にもんじゅを使う考えもある。研究開発の意義は否定しないが、技術的に難しく、エネルギー政策の柱として大きな資金を投ずる段階ではない。余剰なプルトニウムを持たないのが日本の国策で、増やすより減らすが基本だ。青森県六ヶ所村の再処理工場から出るプルトニウムはプルサーマルで使うのが基本だ。もんじゅがなければ困る話ではない。原発の再稼働が進めば、プルトニウムの生産と消費のバランスはとれる。

もんじゅ廃炉と核燃料サイクルの堅持は矛盾するとの指摘があるが、「サイクルの堅持」には幅がある。再処理工場は既に試験運転を済ませており、原発敷地内での使用済み核燃料の貯蔵容量には限界がある。原発の運転に見合う範囲で再処理を進めるのが賢明だ。使用済み核燃料の貯蔵と組み合わせていくのが基本で、全量再処理にこだわる必要はない。

原子力開発のパイオニア的な立場からは、もんじゅを廃炉にして夢を後退させることに抵抗感があるだろう。しかし原子力が聖域だった時代は終わった。現時点で実現が見通せる範囲内で期待にこたえるのが責任ある態度ではないだろうか。

（日本経済新聞、2016年9月29日朝刊:聞き手は編集委員、滝順一）

原子力の政治経済学

原子力ほど政治に翻弄されたエネルギーはない。不幸にして原子力が最初に実用化したのは核兵器としてだが、核兵器開発は国家による大規模科学技術プロジェクトの最初の例となった。戦後は1953年の米国アイゼンハワー大統領の「平和のための原子力」演説が契機となり、多くの国で国家プロジェクトとして原子力開発が始まった。わが国の原子力平和利用も、中曽根康弘議員を中心とする政治家による1954年の原子力予算計上から始まっている。

わが国の原子力発電は「国策民営」として計画的に進められ、数十年先の発電容量目標を政府が決定してきた。また、原子力施設の立地は地元の社会経済に大きな影響を与え、政治的争点となった。研究開発についても、当初から国立の原子力研究機関が設置され、1967年には「夢の原子炉」と呼ばれた高速増殖炉の実用化を最終目標として動力炉・核燃料開発事業団が設置された。

2011年の福島原子力事故までは、原子力はわが国の基軸エネルギーとして安定的に推進されてきた。しかし、福島事故直後、当時の民主党政権は2030年代に原子力ゼロを目指す「革新的エネルギー環境戦略」を取りまとめた。その後、復活した自公政権によって原子力は当面は維持されることとなったが、今年決定された第5次エネルギー基本計画においても「可能な限り原発依存度を低減する」とされている。

エネルギー安全保障、経済性、環境適合性、いわゆる3Eをバランスよく満たすことは、今後も変わらないエネルギー政策の基本方針だと思う。3つのEだけを考えると原子力は、少なくとも今存在する再稼働待ちの原子力発電所は、全て満足している。にも関わらず、原子力政策が停滞しているのは、安全確保に対する信頼が失われているからである。

安全とかリスクの問題を政治問題化すると、結局、民意を問うことになる。民意はゼロリスクを求める傾向がある。その中で、原子力は絶対安全ではないけれど必要なものだと政治家が言えるかどうか。民意に沿うだけが政治ではない。国の安定的な発展のために民意をリードしていく、プロアクティブな行動が期待される。

エネルギー基本計画には、原子力は「現在実用化している脱炭素化の選択肢」という記述もある。このように、原子力を選択肢として維持し続けていこうという姿勢は長期的にも見えている。ここをポジティブに受け止めるべきではないか。その上で、いま原子力を取り巻く状況が極めて悪いことを認識し、政策では最低防御ラインを持つべきではないか。それは何かと言えば、私は再稼働だと思っている。再稼働が進んで、安定的基盤ができて、エネルギー基本計画でも維持されている2030年の20～22％目標の達成が見込めるようになれば、そこから次の展開が見えてくるだろう。

研究開発も最低防御ラインのようなものを持っていなければならない。原子力の実用利用の柱は軽水炉だが、研究開発の柱は高速増殖炉だった。最低防御ラインを守るという観点から見て、研究開発で今大事なことは何か、ポジティブに取り組むべき対象は何かと言えば、それは増殖炉でもプルトニウム利用でもないと思う。

安倍政権で6年経っても、まだ原子力に関しては、腫れ物に触るような状態が続いている。原子力の最低防御ラインの維持ですら危機的な状況にある。

（電気新聞、時評「ウェーブ」、2018年10月30日）

『トモダチ作戦の最前線』 磯部晃一、彩流社、2019年

トモダチ作戦とは、2011年3月に発生した東日本大震災に対し

て米軍が行った災害救助・救援および復興支援活動の名称である。本書は震災当時、防衛省統合幕僚監部の防衛計画部長だった著者がトモダチ作戦の福島原子力事故対応における日米連携の実態を詳しく記述したもので、現場にいた人にしか書けない生々しい貴重な記録である。

私は民間事故調の報告書作成に関与して、福島事故対応における日米連携は自衛隊と米軍が先導したことは知っていたが、自衛隊幹部の視点からの記述に改めて危機対応の基本を気付かされた。

危機対応の基本は最悪事態の想定とそれへの備えである。これには、最悪の事態を発生させないリスクマネジメント（事態の発生抑止）とともに、最悪事態が発生したときのクライシスマネジメント（危機対応）の両面が必要になる。また対応は迅速でなければならないので、指揮・命令系統の確立が必要である。

原子力の安全対策では、原子力施設立地の過程で、万全の対策を講じているので過酷事故は起こらないという安全神話が広がった。福島事故の原因は過酷事故発生という最悪事態への備えに真剣に取り組んでいなかったことである。

著者も福島事故後のわが国の安全保障体制整備で述べているように、戦後の日本は平和の中で国家的な危機対応にほとんど関心を持っていないという危険な状態にある。平和ボケは原子力の安全神話と対応する。最悪ケースを想定して備える危機対応の基本を忘れてはならない。

（月刊誌「エネルギーフォーラム」2020年1月号、私の愛読書）

5. 化石燃料はどうなるのか

脱炭素化を目指す地球温暖化対策の中では化石燃料への風当たりが強い。特に単位エネルギー供給当たりの CO_2 排出量が最も大きい石炭に対しては、欧州を中心として金融機関に石炭への投資を引き上げるダイベストメントの動きがある。しかし、エネルギー文明史における化石燃料の役割は極めて大きい。現在でも化石燃料は世界のエネルギー供給の約 8 割を担っている。エネルギー新時代における化石燃料の役割はどうなるのか。本章では、化石燃料の歴史的役割を整理した上で、脱炭素や分散化を目指すエネルギー新時代での化石燃料の未来を考えたい。

1）化石燃料の歴史的役割

18 世紀の動力革命を実現した蒸気機関のエネルギー源は石炭、つまり化石燃料であった。その後、ガソリンエンジンやディーゼルエンジン、ガスタービンなど、今でも大量に利用されている動力機関のエネルギー源は、石油や天然ガスなどの化石燃料である。石炭も蒸気タービンなどのボイラー用燃料をはじめ工業用の高温熱源や製鉄所の鉄鉱石の還元剤など未だに大量に利用されている。

1850 年以来の世界の一次エネルギー消費量とその内訳を図 5.1 に示す。ここに示されているように、20 世紀前半までは、エネルギー源の主体は石炭であり、20 世紀後半には石油が主力となり、それを天然ガスが追い上げた。現在では、世界のエネルギー源の約 8 割が化石燃料で、石炭、石油、天然ガスのシェアはほぼ拮抗する状態になっている。なお､図 5.1 の最下部にはバイオマスが示されており、

19 世紀には主力エネルギーで現在も相当量使われていることが分かる。ただし、このバイオマスの多くは３章「再生可能エネルギーの未来」の冒頭で述べた伝統的バイオマス（薪や動物の排泄物など）で、屋内空気汚染の原因など健康被害をもたらしており、これは今後伸ばすべき再生可能エネルギーではない。

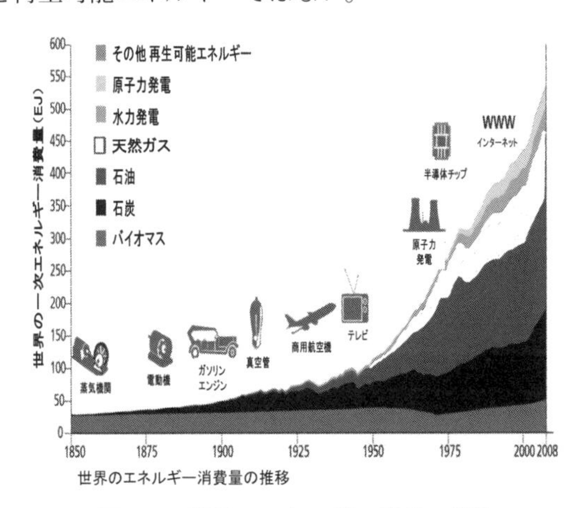

図 5.1　世界のエネルギー消費の推移

出所：Global Energy Assessment, Cambridge University Press　(2012)

化石燃料には、動力革命以前に使われていた薪、馬などの家畜、水車や風車に比べて圧倒的に優れた特性がある。それは、熱を動力に変換することで高いエネルギー密度が実現でき、それゆえに大規模なエネルギー利用が可能であること、さらに燃料の輸送・貯蔵が比較的容易なことなどである。このような優位性のため、化石燃料は様々な設備で利用可能であり、加えて燃料の輸送・貯蔵が容易なこともあり、鉱山でも製糸工場でも、どこでも必要な場所で大規模なエネルギー利用が可能となった。産業革命はこのような特性を持つ化石燃料の活用によって実現した。

さらに、ガソリンエンジン、ディーゼルエンジン、ガスタービンなどの内燃機関は小規模でも効率よくコンパクトであるため、自動車や船舶、航空機などでも利用され、経済活動における輸送部門の役割を革命的に拡大した。

化石燃料の問題点は、資源量の有限性、燃焼による大気汚染、そして CO_2 排出による地球温暖化を招くことである。

化石資源の有限性については、1970 年代の 2 度にわたる石油危機によって人々に強く印象付けられた。しかし、石油危機は価格の高騰によるものであり、資源供給のひっ迫は一時的なものだった。石炭の資源量は今でも十分に存在すると評価されており、石油や天然ガスについてもシェールオイルやシェールガスなど新規資源の利用が始まっていて、世界規模でみれば、資源量制約という実態はない。

図 5.2 に世界の石油資源の確認埋蔵量の変化を示す。ここに示されているように、確認埋蔵量は、地球の資源総量ではなく、その時点で確認されている技術経済的に利用可能な資源量であるので、確認資源量は、使用による減少と新規に発見される利用可能資源の増加の結果として変化する。図 5.2 が示すように、石油の確認埋蔵量は 1990 年から 2015 年の間に相当増大している。少なくとも、2050 年程度までの将来において、価格は需給状況に応じて変動するだろうが、世界の化石資源が枯渇する恐れはない。サウジアラビアの元石油相ヤマニの言葉とされているが、「石器時代は石が枯渇したために終わったのではない」のであり、化石燃料利用も、その終わりが来るとすれば、それは資源の枯渇のためではなく、温暖化

対策のために利用が制限されるとか、他のエネルギー源の台頭などによるものになるだろう。

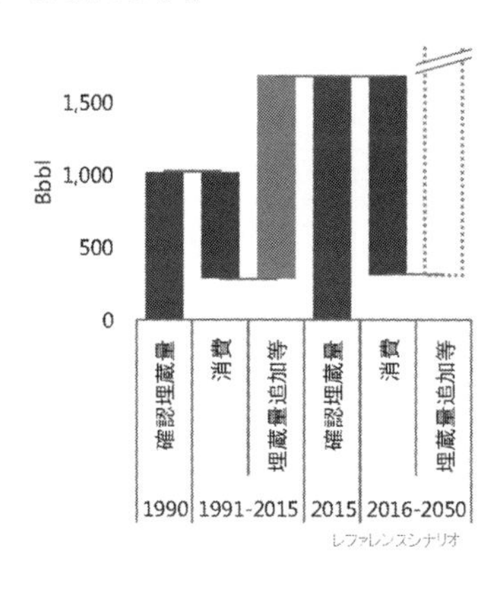

図 5.2　世界の原油確認埋蔵量と累積生産量
出所：IEEJ アウトルック 2018、2017 年 10 月

化石燃料の大量使用に伴う大気汚染は、わが国をはじめ世界各国で重大な公害被害をもたらした。そのため各国では大気汚染規制が施行され、集塵機設置や排煙脱硫・脱硝などの公害対策技術の普及によって解決が図られてきている。現在、化石燃料使用の最大の課題は、脱炭素化に向かうエネルギーシステム変化の中での生き残りである。

2）化石燃料の大量利用分野とその対策

化石燃料が大量に利用されている分野は、発電、輸送用燃料、工業用高温熱源である。

発電に投入されているエネルギー源の構成の現状を図 5.3 に示す。

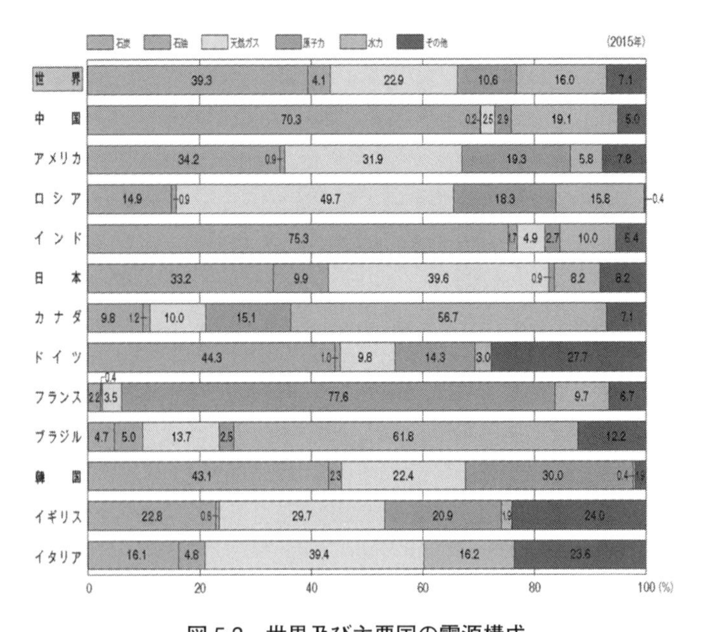

図 5.3　世界及び主要国の電源構成

出所：IEA「WORLD ENERGY BALANCES（2017 Edition）」

ここに示されているように、中国とインドでは石炭、ロシアでは天然ガス、カナダやブラジルでは水力、フランスでは原子力など、主力となる電源はそれぞれ異なっているが、世界全体では電源の約4割を石炭に依存している。最近では、第3章「再生可能エネルギーの未来」で説明したように水力以外の再生可能エネルギー発電が急速に伸びており、また、米国ではシェールガス生産が進み、石炭火力が天然ガスに置き換えられている。天然ガス発電では発電量当たりの CO_2 発生量が石炭火力の約半分になるので、再エネ発電の進展とともに、発電部門の低炭素化が進んでいる。

しかし、中国、インドをはじめ、今後の電力使用の大きな拡大が予想される発展途上国の多くは石炭火力への依存度が高い。また、発電用の天然ガス利用は今後拡大すると見込まれているが、天然ガスでは CO_2 発生をゼロにすることはできない。

発電分野での化石燃料利用は、世界全体では、今後も長期間継続すると想定するのが妥当である。石炭ガス化複合サイクル発電（IGCC）など、火力発電の効率を高める技術開発・普及を進めるとともに、脱炭素に向かう地球温暖化対策に沿って、長期的には化石燃料燃焼に伴う CO_2 を大気に放出させない CCUS（CO_2 回収・利用・貯留）技術の開発・普及が必要になるだろう。CCUS 技術については次節で詳しく解説する。

輸送部門の化石燃料利用は蒸気機関車から始まったが、鉄道は今やほとんどが電化された。問題になるのは、自動車、船舶、航空機の燃料である。自動車用のガソリン・軽油、船舶用の重油、航空機用のジェット燃料と、輸送部門のエネルギーは化石燃料の独壇場である。輸送部門の脱炭素化のカギは、バイオ燃料と電動化である。

バイオ燃料には、ガソリンを代替するバイオエタノール、軽油を代替するバイオディーゼル油、航空機用のバイオジェット燃料などがある。ブラジルなど一部の国ではバイオエタノールの利用が進んでいるが、世界全体としては、自動車部門では電気自動車や燃料電池自動車など電動化の動きの方が強い。だたし、電動化による輸送部門の脱炭素化には、電気と水素（燃料電池の燃料）の脱炭素化が前提になる。従って、発電や水素製造の脱炭素化が必要になる。発電や水素製造に再エネや原子力の利用を進めるとともに、CCUS 技術を活用して化石燃料を使った発電や水素製造の脱炭素化も必要になろう。なお、大型トラックや船舶、特に航空機は電化が難しい。これらの分野では、バイオ燃料への転換とともに、CCUSなどにより脱炭素化された合成燃料やCO_2フリーの水素を利用する技術の開発が期待される。

最後に工業用高温熱源としての化石燃料使用であるが、これを完全に脱炭素化する明確なシナリオは今のところ見えていない。第2章「イノベーションが拓くエネルギー新時代」の革新的環境イノベーション戦略の項目でも述べたが、CCU技術で回収したCO_2の原燃料化や産業電化、水素の活用などの技術開発を進めて可能な範囲で脱炭素化進めることになろう。

以上のように、化石燃料を大量に利用している主要分野での脱炭素化では、CCUS技術への期待が高い。以下、CCUSの現状と見通しについて解説する。

3）CCUSという解決策

私が研究所長を務めている地球環境産業技術研究機構（RITE）の主要な技術開発テーマの一つにCCSがある。CCSとは、CO_2回収・貯留技術（CO_2 Capture and Storage）のことだが、世間的な認知度は低い。研究開発現場では、最近はCO_2回収・利用技術（CCU: CO_2 Capture and Utilization）もCCSと並行して進められているので、合わせてCCUSと呼ばれることが多くなった。認知度は低いが、地球温暖化対策の中でCCUSに期待されている役割は大きい。

地球温暖化はCO_2を主体とする温室効果ガスが大気中に貯まることによって生じている。省エネや再エネ、原子力など温暖化対策としてよく知られている技術は、エネルギー利用から発生するCO_2を削減する技術であってわかりやすい。これらに対してCCUSは、CO_2の発生は前提とするが、CO_2が大気中に貯まらないように、大気に放出される前に回収して地中などへ貯留（CCS）あるいは素材製造などに利用する（CCU）技術である。つまり、CCUSは、公害対策における排ガスの脱塵や脱硫のように、環境への放出口で汚染物質を除去するエンド・オブ・パイプ型の環境対策技術である。根源を絶つのではない受け身の対策で、イメージは今一つだが、公害対策で実証されたように効果は大きい。

また、既に大気中には多くのCO_2が貯まっているので、CO_2を大気から直接回収するDAC（Direct Air Capture）技術も検討されている。DACは大気からCO_2を減らすので負の排出技術（NETs: Negative Emission Technologies）と呼ばれている。NETsには他にもバイオマス利用とCCSを組み合わせるBECCS（Biomass Energy with CCS）や植林による大気中のCO_2固定等がある。海洋肥沃化（鉄分等の散布によって植物プランクトンを増殖させ大気下部のCO_2を吸収して海底に生物ポンプで送る技術）もNETsに分類される。

本節では、CCUやNETsも含めて、脱炭素化に向かうエネルギーシステムの中で、化石燃料が存続するカギとなるCCUS技術について説明する。

CCUSが目指す目標

国際エネルギー機関による世界のCO_2削減量見通し（IEA, Energy Technology Perspectives 2017）では、パリ協定の長期目標を実現するために2060年に必要とされるCO_2削減量約300億トンの16

%、約50億トン／年をCCSによって実現することが期待されている。わが国の現在のCO_2排出量が約12億トン／年であることと比較しても、その大きさが理解できるだろう。また、安倍首相は2019年1月のダボス会議で、人工光合成技術などを引用して「今こそCCUを、つまり炭素回収に加え、その活用を考えるときなのです」と述べ、持論の「経済成長と環境の好循環」を実現するイノベーションとしてCCUへの意欲を示している。もっとも、CCUについては、温暖化対策に寄与するためには数億トン規模の莫大な量のCO_2利用が必要で、既に実用化している石油の増進回収（EOR: Enhanced Oil Recovery）でのCO_2利用以外は経済的なハードルが高い。

CCUSを実現する様々な技術

CCUSを実現するための主要な技術分野は、CO_2分離・回収、CO_2貯留、CO_2利用に分けられる。工業用CO_2生産のための分離・回収やEORなど既に商業的に行われている技術もあるが、温暖化対策として大規模に行うには多くの課題がある。

① CO_2分離・回収技術

CO_2分離・回収には、化学吸収、物理吸収、固体吸収、物理吸着、膜分離、深冷分離など様々な技術がある。また、純酸素燃焼により排出物をCO_2と水蒸気だけにして気水分離するという方法もある。RITEでは、製鉄所の高炉ガスからCO_2を回収するアミン系の化学吸収液、石炭火力の煙突の手前でCO_2を回収する固体吸収材（化学吸収液を固体に担持したもの）、石炭ガス化の過程でCO_2を回収する膜分離技術を開発している。それぞれ対象とするガスの組成や圧力に対応して使い分けている。例えば、膜分離では対象ガスの圧力が高ければ有利になる。

CO_2分離・回収技術には工業用CO_2生産用として実用化している技術もあるが、CCUSに適用する場合は、CCUS全体のコストの中でCO_2分離・回収部分の占める割合が大きいので、所要エネルギー量削減を含めコスト低減が大きな課題である。

なお、世界的に見れば、CO_2分離・回収は化石燃料燃焼に伴うものだけでなく、天然ガス生産に付随したCO_2の分離・回収が大規模に行われている。ノルウェーでは、炭素税が導入されていることもあり、回収したCO_2を海底下の帯水層に圧入貯留している。この場合には、分離・回収コストはもともと天然ガス生産コストに含まれており、圧入貯留に伴うコストだけが追加費用となり経済性をクリアするハードルが低くなっている。

② CO_2貯留技術

CO_2貯留は大きく分けて、地中貯留と海洋隔離がある。海洋隔離については、海洋溶解と深海底貯留がある。深海底貯留では、3km以深ではCO_2は海水より重くなるので海底へ貯まりハイドレートを形成して安定化すると推定されている。しかし、2006年に発効したロンドン議定書により海洋隔離は禁止された。なお、海底下地中貯留については例外として条件付きで認められている。

ということで現在できるCO_2貯留は地中貯留だけであるが、地中貯留にも、帯水層貯留、炭層貯留、油層貯留（EOR）、枯渇ガス田利用、鉱物化固定など様々な技術がある。CO_2貯留の現状や詳しい技術内容については後述する。

③ CO_2利用技術

CO_2利用はドライアイスや溶接用ガスなどの工業用利用について

は実用化している。しかし、地球温暖化対策として効果がある CO_2 利用は、先述したように現在大規模に行われているのは EOR だけである。

温暖化対策として CO_2 を燃料や原料に変換して利用する技術については現在、様々な研究開発が進められている。具体的には、水素と CO_2 からメタンやメタノールを合成して化学品や燃料を製造する技術（人工光合成も含む）、CO_2 を電解や高温熱で還元して合成ガス（$CO+H_2$）を製造する技術、Ca や Mg イオンと反応させて炭酸塩を製造してコンクリート材料等に利用する技術など様々な研究開発に取り組んでいる。いずれも温暖化対策として十分な量の CO_2 を利用できるか、利用プロセス全体（ライフサイクル）を通して本当に CO_2 削減になるのか、コスト競争力があるか等を見極める必要がある。

以下、CCUS の各技術分野について現状と課題を整理する。

CO_2 貯留の現状と技術の概要

地球温暖化対策としての CCS（CO_2 回収・貯留）の提案は、国際応用システム分析研究所（IIASA）のマルケッテイが 1977 年に書いた論文が最初だと私は考えている。この論文でマルケッテイは、ジブラルタル海峡の深部に CO_2 を放出することにより、大西洋の深いところに CO_2 を大気から長期間隔離する海洋貯留を提案した。地中海は塩分濃度が大西洋に比べて高く、大西洋と地中海をつなぐジブラルタル海峡の深部では大量の海水が大西洋の 1500m 程度の深さに流出しているが、マルケッテイはこの現象を利用する CO_2 の海洋貯留を構想したのである。

1990 年頃から地球温暖化対策が本格的に議論され始めた当初は、CO_2 貯留の研究の焦点は海洋貯留が主体だった。しかし、現実の温暖化対策としての最初の CO_2 貯留は、ノルウェーのスタットオイル社が北海の Sleipner で天然ガスに随伴する CO_2 を海底下の帯水層に 1996 年から年間 100 万トン規模で注入し始めた地中貯留である。天然ガスには CO_2 が随伴することが多く、通常は CO_2 を分離して大気放出しているが、ノルウェーでは当時から炭素税が導入されていたこともあり、CO_2 の地中貯留を始めたのである。なお、地球温暖化対策ではないが、CO_2 の地中圧入は米国において 1970 年代から石油増進回収（EOR）を目的として大規模に行われている。

先にも述べたが、CO_2 の海洋貯留（海洋隔離とも言い、海洋溶解と深海底貯留などの方法がある）については、1996 年に採択され 2006 年に発効したロンドン議定書により事実上禁止された。

① CO_2 貯留の現状

わが国での CO_2 貯留の実績は、RITE が 2003 年から 2005 年にかけて長岡で地下 1100 メートルの帯水層に約 1 万トンの CO_2 を圧入したのが最初である。長岡のサイトでは現在まで継続的に地下に貯留した CO_2 のモニタリングを行っており、ほとんど移動することなく安定していることを確認するとともに、帯水層への溶解や鉱物化などの化学変化を観測している。2016 年末からは日本 CCS 調査（株）が苫小牧において年間 10 万トン規模の CO_2 圧入を開始し、2019 年末までに約 30 万トンを圧入している。苫小牧では石油精製工場から CO_2 を回収し、地上から斜めに圧入井を掘り海底下の帯水層に地中貯留している。苫小牧での CO_2 貯留実証においても RITE は各種モニタリング技術の開発適用とともに安全管理システムの開発を行っている。また、2016 年 4 月には RITE が中心となり産総研と民間会社 4 社で二酸化炭素地中貯留技術研究組合を設立し、年間 100 万トン規模の貯留を行う CCS の実用化に向け、わが国の貯留層に適した CO_2 地中貯留技術を開発するとともに、CCS の社会受容性の獲得を志向した研究開発を始めている。

世界的に見れば、大規模な CO_2 貯留事業が 20 件近くすでに稼働している。表 5.1 に運転中の大規模 CO_2 貯留事業を示す。

	名称	開始年	国	貯留	処理量 トン/年	排出量
1	Val Verde Natural Gas Plants	１９７２	米国	油ガス田（EOR）	１３０万	天然ガス
2	Enid Fertilizer	１９８２	米国	油ガス田（EOR）	７０万	肥料生産
3	Shute Creek Gas Processing Facility	１９８６	米国	油ガス田（EOR）	７００万	天然ガス
4	Sleipner	１９９６	ノルウェー	海底下帯水層	８５万	天然ガス
5	Weyburn	２０００	カナダ	油ガス田（EOR）	３００万	合成天然ガス
6	Snøhvit	２００８	ノルウェー	海底下帯水層	７０万	天然ガス
7	Century Plant	２０１０	米国	油ガス田（EOR）	８４０万	天然ガス
8	Air Products	２０１３	米国	油ガス田（EOR）	１００万	水素製造
9	Coffeyville Gasification Plant	２０１３	米国	油ガス田（EOR）	１００万	肥料生産
10	Lost Cabin Gas Plant	２０１３	米国	油ガス田（EOR）	９０万	天然ガス
11	Petrobras Lula	２０１３	ブラジル	油ガス田（EOR）	約１００万	天然ガス
12	Boundary Dam	２０１４	カナダ	油ガス田（EOR）	１００万	発電所
13	Uthmaniyah	２０１５	サウジアラビア	油ガス田（EOR）	８０万	天然ガス
14	Quest	２０１５	カナダ	陸上帯水層	１０８万	水素製造
15	Abu Dhabi	２０１６	UAE	油ガス田（EOR）	８０万	製鉄所
16	Petra Nova	２０１６	米国	油ガス田（EOR）	１４０万	発電所
17	Illinois Industrial	２０１７	米国	陸上帯水層	１００万	化学品生産(エタノール)
18	CNPC Jilin Oil Field CO2EOR(Phase3)	２０１８	中国	油ガス田（EOR）	６０万	天然ガス

表 5.1　世界の大規模 C02 貯留事業（2018 年に運転中のもの）
出所：GCCSI , The Global Status of CCS, 2017

表 5.1 に示されているように、現在稼働している大規模 CO_2 貯留事業の多くで貯留場所は油ガス田であり、CO_2 を EOR に利用している。また、貯留される CO_2 の発生源には天然ガス随伴のものが多い。EOR 用の CO_2 は販売収入があり、また、天然ガス随伴の CO_2 は貯留に関わりなく分離されているので追加コストが少なく、いずれも

経済性のハードルが低い。これは CCS の大きな課題が経済性であることを示している。一方、EOR 利用が主体ではあるが、表 5.1 に示す稼働中の大規模貯留事業だけで年間 3000 万トン以上の CO_2 が圧入されており、その他も含めると年間 CO_2 圧入量は現在 4000 万トン水準に達していることにも留意する必要がある。現在中国など 5 カ所で大規模 CO_2 貯留施設が建設中で計画中のものも 20 件ほどある。

② CO_2 貯留技術の概要

CO_2 貯留技術については 2011 年にシーエムシー出版から刊行された『CCS 技術の新展開』（茅陽一監修）など様々な解説資料があるので、ここでは簡単に概要のみを記しておく。

先述したように、当初は CO_2 貯留として海洋貯留が主流だったが、海洋貯留には、海洋に CO_2 を溶解させる技術と深海底に CO_2 を堆積させる技術がある。3000 メートル以深では CO_2 は海水より比重が大きくなり海底に沈降する。また、深海の温度・圧力条件の下では CO_2 は水と反応して CO_2 ハイドレート（固体）を形成するので安定性が増すと考えられている。ただし、既に述べたように、海洋貯留はロンドン議定書によって事実上禁止されている。

現在主流の CO_2 地中貯留では、表 5.1 に示されているように帯水層と油ガス田への貯留（EOR）が大規模に行われているが、その他にも石炭層に貯留してメタンを回収する技術や鉱物化して貯留する技術などの研究開発が行われている。2005 年に気候変動に関する政府間パネル（IPCC）が公表した CCS に関する特別報告書によれば、世界全体での CO_2 貯留容量は、帯水層で 1 兆トン以上、油ガス田で数千億トンと評価されている。わが国についても 2005 年に RITE が概略評価を行い、帯水層貯留で 1461 億トンとされている。つまり貯留容量は十分と考えてよい。

CO_2 地中貯留に関する技術には、貯留容量や圧入速度を評価する地質モデリング技術、圧入井の掘削技術や CO_2 圧入技術、貯留した CO_2 の挙動を観測するモニタリング技術などがある。圧入技術としては CO_2 をマイクロバブル化して効率化するなどの新技術が研究されている。モニタリング技術は CO_2 地中貯留の安全性評価に関しても重要で、弾性波トモグラフィー始めとして、比抵抗（電気伝導度）検層、中性子検層、重力モニター、光ファイバー観測などの技術開発がが行われている。

CO_2 回収の現状と課題

CO_2 回収は混合物からの CO_2 分離と分離後の回収の２つのプロセスから構成されるので、専門家は CO_2 分離・回収と呼ぶことが多いが、ここでは簡略化して CO_2 回収とする。

①現在世界で行われている CO_2 回収事業

温暖化対策が主目的ではないが、CO_2 回収は現在でも世界全体で年間１億トン近い規模で行われている。このうちの多くは天然ガス精製に伴って回収されている。回収された CO_2 は最終的に大気に放出することが多いが、CO_2 貯留の解説でも述べたように、石油の増進回収（EOR）にも大量に使われている。

わが国では、溶接のシールドガスやドライアイス生産、野菜工場での CO_2 施肥などのために年間約 100 万トンの CO_2 が回収・利用されている。なお、化学品製造工程で発生する CO_2 利用も含めれば、尿素などの生産に伴い世界全体では年間１億トンを超える CO_2 利用があると推定されている。このような現在の工業用 CO_2 は、燃焼排

ガスからの CO_2 回収の他に、天然ガス（CO_2 を随伴することが多い）生産からの回収、プロセスガス（化学工場の副生ガスなど）からの回収によって生産されている。

② CO_2 回収技術

現在商用化されている CO_2 回収技術は、化学吸収法、物理吸収法、膜分離法、吸着分離法の 4 種類に大別される。CO_2 原料ガスの温度、圧力、不純物等の特性により適切な回収技術が選定される。商業化以前の技術も含めて NEDO が整理したわが国の各種回収技術の概要を表 5.2 に示す。

分離回収技術/適用しうる先		技術概要	種類と特徴	熱効率（分離のみ） 目標 コスト	技術確立（年度） 現状PJ
吸収法	化学吸収法/火力・セメント・鉄鋼・石油精製・化学工業・天然ガス	・CO_2と液体との化学反応を利用して分離回収する方法。	・ポストコンバッションはアミン系吸収液などが、プレコンバッションはN-メチルジエタノールアミン(MDEA)をベースにした吸収液が実用化されている。 ・処理ガス中のCO_2分圧が低い場合でも比較的多くCO_2を吸収できる。	現状：2.3~4GJ/t-CO_2 目標：1.5GJ/t-CO_2 コスト：2,000円台/t-CO_2	技術確立済み COURSE50 化学吸収法
	物理吸収法/火力（高圧）・石油精製・化学工業・天然ガス	・CO_2を液体中に溶解させて分離回収する方法。 ・吸収能は液体に対するCO_2の溶解度に依存する。	・物理吸収法は吸収能が溶解度に依存するため、CO_2分圧が高いほど有利となり、プレコンバッションに適する。 ・冷メタノール吸収液やポリエチレングリコールジメチルエーテルなどの吸収液が開発されている。	現状：0.4~1.7GJ/t-CO_2 目標：不明 コスト：2,000円台/t-CO_2	2020 OCG
	固体吸収/火力・セメント・石油精製・化学工業	・固体吸収材によるCO_2分離回収技術。 ・多孔質担体にアミン吸収剤を含浸させたり、CO_2吸収能のある固体剤を吸着させたものや、CO_2吸収能をもつ固体粒子そのものを使用する方法がある。	・多孔質担体に含浸もしくは吸着させた吸収材を利用すれば、殆ど水を使用しないことから、固体吸収材の再生エネルギーの低減が期待できる。 ・固体吸収材には多孔質担体にアミン吸収液を含浸させたものや、K_2CO_3などを吸着させたもの、さらにCO_2吸収能のある酸化カルシウム粒子を利用したものなど、種類は様々ある。	現状：1.5GJ/t-CO_2 コスト：2,000円/t-CO_2	2020 先進的二酸化炭素固体吸収材実用化研究開発事業
物理吸着法/火力・鉄鋼・セメント・石油精製・化学工業		・ゼオライトなどの多孔質固体への昇圧による吸着、降圧分離・再生（=圧力スイング再生）	・CO_2に対する選択性が低いため、多段システムによる純度向上が必要。 ・水の影響を受けやすく、前処理エネルギーが大きい。	現状：1.8GJ/t-CO_2 (COURSE50試算) コスト：2,000円台/t-CO_2	2020 COURSE50 固体吸着材
膜分離法/火力（高圧）・石油精製・化学工業・天然ガス		・分離機能を持つ薄膜を利用し、その透過選択性を利用して混合ガスの中から対象ガス（CO_2）を分離する方法。	・分離の駆動力は分圧差であるため、プレコンバッション方式に適する。 ・ガス圧を利用することから、吸収法と比較して省エネ、低コストが期待できる。 ・分離膜にはH_2透過膜とCO_2透過膜の2種類ある。	現状：0.3~0.5GJ/t-CO_2 (推算値) コスト：1,000円台/t-CO_2 ※IGCCの燃焼前回収、昇圧無し想定時試算値	2030 分離膜モジュール
深冷分離法/冷熱プロセス		・低温下で液化し、沸点の違いを用いて分離する方法。 ・CCS向けには商用化されていない。	・冷熱または冷却・圧縮のためのエネルギーが必要 ・高純度精製が可能で大容量向き ・装置が複雑で建設費が高価 ・油脂分含有ガスに弱い	現状：詳細不明 コスト：2,500円/t-CO_2 ※IGCC燃焼後回収の試算値	CO_2含む各種産業ガス精製として確立

表5.2　現状のCO_2回収技術の概要・特徴（コスト目標・技術開発段階含む）
出所：エネルギー・環境技術のポテンシャル・実用化評価検討会、資料 6-1「CO_2 分離・回収技術について」（NEDO）、2019 年 2 月 5 日

なお、膜分離法に使う分離膜には無機膜と有機膜がある。無機膜は膜の孔のサイズによって物理的にガス分離を行う。RITEが開発中の分離膜は有機膜であり、孔にCO_2との化学的親和性を持たせてCO_2を選択的に透過させる技術で分子ゲート膜と呼ばれている。

現在商業利用されているCO_2回収技術の主体は化学吸収法であるが、化学吸収法ではアミン系の吸収液とCO_2との化学反応を利用してCO_2分離を行う。その後、加熱して吸収液からCO_2を再生・回収する。温暖化対策として大量のCO_2回収を行う場合には再生・回収に要するエネルギーを小さくすることが求められる。RITEが新日鐵住金（現在は日本製鉄）とともに開発した吸収液は、再生温度100℃以下、回収エネルギー2.0GJ/t-CO_2で、工業用CO_2生産向けではあるが既に商用化している。また、表5.2で固体吸収として整理されている固体吸収材によるCO_2回収もRITEが開発中の技術で、これはアミンを多孔質担体に担持して使用するので再生時に比熱の大きい水を加熱する必要がなく、CO_2回収エネルギーを1.5GJ/t-CO_2以下にできる見込みを得ている。

表5.2に示した分類以外のCO_2回収技術として、純酸素燃焼とケミカルルーピングがある。純酸素燃焼では燃焼生成物がCO_2と水蒸気なので気水分離が使える。ただし、酸素製造に追加コストとエネルギーが必要になる。純酸素燃焼の中にはクローズドIGCC（石炭ガス化複合サイクル）という形態もある。クローズドIGCCではガス化炉でも空気を使わず酸素を使い、石炭搬送には回収CO_2を使う。また、ケミカルルーピングとは、例えば鉄のように酸化物が複数ある化学物質を使って石炭を燃やし、酸素が減った酸化物に再び酸素を付加して繰り返し利用するシステムのことで、このプロセスでも

生成物はCO_2と水蒸気だけになるので容易にCO_2を回収できる。ケミカルルーピングには、他にもセメント工場でのカルシウムルーピングなど種々のアイデアがあるが、まだ実用化には遠いと思われる。

③ CO_2回収の課題

今まで説明したように、CO_2回収は市場価値がある工業用CO_2生産向けにはすでに実用化している。しかし、CCUSに適用するには更なるコスト削減が必要である。そのためには、CO_2回収エネルギー低減をはじめ、ガス源の特性（温度、圧力、不純物）に適した種々の技術の開発を並行して進めることも大切である。一方では、回収するCO_2の純度に厳しい要件が求められる工業用CO_2生産とは異なり、CO_2を地中に隔離するCCSでは回収CO_2の濃度や不純物に対する要件は緩和できると考えられるのでコスト低減の可能性もある。

最近ではネガティブ排出技術として大気中のCO_2を直接回収するDAC（Direct Air Capture）も注目されている。毎年10月に東京で開催されている国際会議ICEF（Innovation for Cool Earth Forum）では注目すべき革新的温暖化対策技術についてロードマップを作成しているが、2018年にはDACが取り上げられている。DACでの回収技術は化学吸収法など従来の回収法の適用も試みられているが、イオン交換樹脂やカルシウムイオンなどの利用も検討されている。

CO_2回収技術は既に実用化しているといえるが、地球温暖化対策として大量の回収を経済的に行うためには課題も多い。

CO_2利用（CCU）の現状と課題

先ほども述べたように、現在でもCO_2は様々に利用されている。国内でも溶接用ガスやドライアイス製造などで年間約100万トンの

CO_2需要がある。最近では植物工場などでのCO_2施肥も一般的になった。また、世界的には石油の増進回収（EOR）を主体として年間CO_2需要は約8000万トンと推定されている。これらは商品としてのCO_2の需要だが、その他にも尿素生産など化学品製造工程内で閉じた形態で発生・利用されているCO_2は合計すると1億トンを超えている。ただし、これら全てが地球温暖化対策としての有効という訳ではない。温暖化対策としてのCO_2利用の現状と課題を考えたい。

①温暖化対策としてのCO_2利用の意義

回収したCO_2を貯留するCCSは廃棄物処分に相当し必ず追加コストがかかるが、CO_2を商品として有効利用できれば収入が期待できる。つまり、CO_2のリサイクル利用である。耐久性のある素材に変えてCO_2を固定すればゼロ排出となるし、燃料に変換して化石燃料を代替して再び燃焼しても、もともと大気に放出される筈だったCO_2が出るのだからCO_2中立と主張できる。これがビジネスとして成立すれば確かに素晴らしい。

2019年1月のダボス会議での安倍首相のCCUに対する意欲的な発言を受け、経済産業省はCCU実用化に向けたイノベーション促進を目的に資源エネルギー庁にカーボンリサイクル室を設置した。

カーボンリサイクルというと響きが良いが、地球温暖化対策として意義あるものにするには高いハードルがある。経済的合理性が求められるのはもちろんのこと、温暖化対策として十分な量のCO_2を利用できるか、利用プロセス全体（ライフサイクル）を通して本当にCO_2削減になるのか等を見極める必要がある。地球温暖化対策としては世界全体として年間で億トン規模の莫大な量のCO_2利用が必要で、現状ではEORを除けば利用規模としては物足りない。また、ドライアイスや溶接用ガスなどの利用は、他の CO_2 排出活動を代替することなく、短期間で CO_2 が大気に放出されるので温暖化対策としての意義は認められない。なお、EOR 用に CO_2 を利用した場合、石油増進生産時に一部は大気に戻るが多くは地中にとどまっている。

② CO_2 利用技術の分類と評価

CO_2 利用技術は、CO_2 のまま直接利用する場合と化学的・生物学的変換を行って利用する場合の大きく 2 つに分類される。網羅性に若干懸念があるが、表 5.3 に具体的な技術とその評価例を示す。

カテゴリ	分類	CO_2 有効利用技術	技術の成熟度			市場性		長期的な CO_2 需要[Mt/yr]	CO_2 削減効果	
			開発段階	技術の成熟度*	実用化目安	経済性	経済性・市場性		CO_2 保持期間	削減効果
化学的・生物学的変換	燃料・化学品への変換	メタノール製造（再生可能エネルギー利用）【注】	開発段階	TRL 5-7	1-5年	中	高	>300	燃焼まで	燃料：化石燃料代替 化学品：一時的固定
		ギ酸製造	研究段階	TRL 5	5-10年	Uncertain	中	>300	燃焼まで	
		バイオ燃料（微細藻類による生産）	研究段階	TRL 3-5	1-5年	Uncertain	中	>300	燃焼まで	
		光触媒的還元（人工光合成）	研究段階	TRL 3	−	不明	中	−	−	
		電気化学的還元	−	−	−	−	−	−	−	
		化学品製造	開発段階	−	1-5年	不明	−	1-5	プロセスにより様々	
		ポリカーボネート		TRL 3-5	1-5年	Uncertain	中	5 - 30	数十〜数百年	
		ポリウレタン		TRL 3-5		Uncertain	中			
		尿素の増産	実用化	TRL 9	商業段階	低	中	5 - 30	6ヶ月	一時的固定
		メタノールの増産	実用化	TRL 9	1-5年	低	中	1 - 5	6ヶ月	一時的固定
	ミネラル化 mineralisation	セメント等	開発段階	TRL 5	−	Uncertain	中			永久的
		コンクリート養生		TRL 5	商業段階	高	中	30 - 300	数十〜数百年	
		ボーキサイト残渣処理		TRL 8	商業段階	中	中	5 - 30	数十〜数百年	
		炭酸塩化		TRL 3-7	1-5年	不明	中	>300	数十〜数百年	
直接利用	製品等の生産性向上	地熱発電の増強	−	TRL 4	5-10年	−	低	5 - 30	CCS と組み合わせれば永久保存があり得る	−
		超臨界 CO_2 サイクル発電	−	TRL 3	−	不明	中	<1	−	−
	石油等の生産性向上	EOR（石油増進回収）	実用化	−	商業段階	変動大 Highly variable	−	30 - 300	CCS と組み合わせれば永久的	永久的
		EGR（ガス増進回収）	開発段階〜実用化	−	−	低	−	−		永久的
		ECBM（コールベッドメタン増進回収）	開発段階	−	1-5年	中	−	30 - 300	CCS と組み合わせれば永久的	永久的

【注】再生可能エネルギーを利用した水電解により製造した水素と CO_2 から合成。水素の供給源を化石資源以外にしないと CO_2 削減にならない。
* TRL (Technology Readiness Level) で評価。1（基礎研究段階）〜9（実用化・事業化段階）

表 5.3　CO_2 利用技術の分類と評価例
出所：小島正彦、The TRC News 201806-04 、㈱東レリサーチセンター

表 5.3 に多少補足すると、化学的変換利用としては CO_2 と水素

からメタンを合成するメタネーションが最近は注目されている。表5.3に示されているように、CO_2利用技術について様々な研究開発が進められている。具体的には、水素とCO_2からメタンやメタノールを合成して化学品や燃料を製造する技術（人工光合成も含む）、CO_2を電解や高温熱で還元して合成ガス（$CO+H_2$）を製造する技術、CaやMgイオンと反応させて炭酸塩を製造してコンクリート材料に利用する技術など様々な研究開発に取り組んでいる。このような化学変換を利用したCO_2利用では、水素などの原料調達や化学反応に必要な投入エネルギーに伴うCO_2排出を評価する必要がある。

CO_2はエネルギー的に極めて安定な物質である（CO_2の生成熱（エネルギー的安定度）は394kJ/molでガスの中で最も大きい）。従って、CO_2を原料として化学合成をするにはほとんどの場合大きなエネルギー投入が必要になる。再生可能エネルギーや原子力を利用して、エネルギー投入に伴うCO_2発生を抑制することが温暖化対策としてのCO_2利用には極めて重要である。

また、研究開発中のCO_2利用技術の多くで水素を使うが、温暖化対策としての利用のためには水素もCO_2フリーで生産しなければならない。CO_2フリー水素の製造にも多くの技術経済的課題があるし、水素をそのまま利用する場合との比較も行う必要がある。

例えば、CO_2と水素からメタンを製造する場合、1モルのメタン生産には1モルのCO_2と4モルの水素が必要になる。メタンに変換すれば、既存の都市ガスインフラが使えるというメリットがある一方で、水素の持つエネルギーの20%以上が失われることも考慮しなければならない。

実際上無限にある大気中のCO_2を回収して有効利用できれば、

CO_2 利用はポジティブな価値を持つネガティブ排出技術となるなど、CO_2 利用（CCU）は潜在的には大きな魅力がある。同じような効果を持つ BECCS（バイオマスエネルギー +CCS）で懸念されるような生態系への脅威も想定されない。このように、CO_2 利用への期待は高いが、CO_2 利用システム全体の評価を行って、温暖化対策としての有効性を慎重に検討する必要がある。

CCUS の経済性と政策

CO_2 回収・利用・貯蔵（CCUS）に関する解説の締め括りとして、CCUS の経済性と政策について紹介したい。

① CCS の経済性評価

2005 年度の評価なので最新ではないが、CCS のコストについては、RITE（地球環境産業技術研究機構）が解析評価を行っている。この評価では、新設石炭火力発電所で発生する CO_2 を地下帯水層に貯留する場合のコストは 7300 円 /t-CO_2、既設石炭火力の場合は 1 万 2400 円 /t-CO_2 と評価されている。コスト内訳の中では、CO_2 回収に関するコストの比率が高く、各々 58%と 63%になっている。CCS を適用すると火力発電の効率が落ちるので kWh 当たりの石炭火力の CO_2 排出量を 1kg と少し大きめに想定すれば、新設石炭火力の場合の発電コストとしては kWh 当たり 7.3 円の増分になる。

最近の CCS コスト評価例としては、米国の国立エネルギー技術研究所（NETL）が 2015 年の報告で超臨界微粉炭火力の場合に 60.5 ドル /MWh（約 7 円 /kWh）の発電コスト増分、英国エネルギー技術研究所（ETI）も 2016 年に微粉炭火力について 31 ポンド /MWh（約 5 円 /kWh）の増分と評価している。いずれも 2005 年の RITE

の評価と大きくは変わらない。この程度のコスト増であれば、バイオマス発電などと十分に競争可能な水準である。なお、2005年のRITEの評価では、コストシェアが最も大きいCO_2回収コストは約4000円/t-CO_2（新設石炭火力の場合）としているが、現在開発中の技術では分離エネルギーの減少などにより2000円台を目指している。ただし、コスト低下は期待されるもののCCS自体には金銭的な収益はないので、地球温暖化対策としての導入支援策が必要である。ちなみに、米国では2018年に45Qという法制度を制定し、EORについては$35/t-$CO_2$、CCSでは$50/t-CO_2の税額控除を行う仕組みを導入している。

② CCUの経済性評価

CO_2利用技術については、経済産業省が2019年6月にカーボンリサイクル技術ロードマップを作成し、同月に軽井沢で開催されたG20エネルギー・環境閣僚会合でも水素などとともに推進すべき注目技術として取り上げられた。第2章で述べたが、2020年1月に決定された革新的環境イノベーション戦略でもCCUは重要なイノベーション技術として取り上げられている。

経済産業省と文部科学省が連携して作成した「エネルギー・環境技術のポテンシャル・実用化検討会」の報告書（2019年6月公表）でもCCUが取り上げられており、エネルギー投入やCO_2発生のLCA評価の重要性を指摘するとともにCO_2削減可能性を定量的に評価している。また、同報告書ではCO_2のメタネーションについて経済性評価を示している。それによると、直近のLNG価格（10$/MMBTU）並みにするには水素を約3円/Nm3で調達する必要があるとされており、経済性達成の壁は高い。同報告書はCO_2のコンクリート吹込み（製品名 SUICOM）の経済性も報告しており、埋設型枠用であればコストは一般製品の 1.1 倍から 1.7 倍、より汎用的な道路ブロックについては 3.3 倍から 4.7 倍となり、一部限定的な用途では商用化されているが、更なるコストダウンの必要性を指摘している。

③ CCUS への政策対応

今まで説明してきたように CCUS 技術は地球温暖化対策として有効であるが、現在のところ経済性に課題がある。わが国政府は苫小牧における CCS の実証試験とともに、貯留の安全性評価技術やコスト低減を目指した CO_2 分離・回収技術の研究開発を推進し、貯留可能量のポテンシャル調査を実施している。また、RITE が中心となって産総研と民間会社 4 社で設立した二酸化炭素地中貯留技術研究組合は年間 100 万トン規模の貯留に向けた研究開発を行って CCS の事業化を目指している。

CCU についても前述したように、わが国は最近急速に取り組みを進めており、2019 年にはカーボンリサイクル技術ロードマップを作成し、同年 6 月の G20 エネルギー・環境閣僚会合でも CCU を重要なイノベーションとして推進する旨を表明し賛同を得た。

国際的には、国際エネルギー機関（IEA）が 1991 年に温室効果ガス対策プログラム（IEA GHG）を設立し、CCUS 技術の研究開発の国際連携を進めている。IEA GHG は GHGT（温室効果ガス制御技術）という名称の国際会議を 2 年毎に開催し、世界の CCUS 研究成果を共有する重要な場を提供している。RITE は、IEA GHG の日本代表機関で、2012 年には京都で GHGT-11 を現地実施機関として開催した。2020 年には GHGT-15 がアブダビで開催されることになっている。

2003年6月には、CSLF（炭素隔離リーダーシップフォーラム）が米国の呼びかけにより設立され、CCUSの研究開発、実証、商業化のための国際協力の推進を進めている。CSLFの加盟国は、25カ国・1地域（欧州委員会）で、「政策グループ」と「技術グループ」に分かれて活動しており、日本からはそれぞれ経済産業省とRITEが参加している。また、CCSの安全性に係る国際基準などの国際標準の策定作業（ISO/TC265）が進められており（RITEが国内審議団体を務める）、わが国の民間企業の海外展開を支える環境整備を行っている。最近では、CEM（クリーンエネルギー閣僚会合）が2018年5月にCCUSイニシアティブを設立し、政府・産業・金融の連携を強化し、有望なエリアを特定し早期の案件形成に向けてベストプラクティスの共有を図っている。

このように国内外でCCUSへの取り組みが行われているが、現実には大規模CO_2利用となるEOR（石油増進回収）と組み合わせる場合の他は、既に分離されている天然ガス随伴のCO_2の貯留が実施されている程度で、地球温暖化対策として火力発電所などの大規模CO_2発生源に対するCCUSは、ほとんど進んでいない。温暖化対策としてのCCUS実用化のためには、更なる研究開発によって経済性を改善するとともに、圧入に伴う誘発地震やCO_2漏洩などの可能性へのリスク対応を確実に行い、CCUSの社会受容性を確保する必要がある。経済性改善については増分コストゼロにはなり得ないので、再生可能エネルギーや省エネルギー政策でも採用されているような、誘導的規制や導入インセンティブを与える制度が必要となろう。

このように、CCUSについて様々な活動が行われている。化石燃料は現在の世界のエネルギー供給の主体であり、途上国を中心とする今後の電力需要の伸びや代替手段の開発が難しい産業分野での利用を考慮すれば、2050年程度までの長期を展望しても化石燃料から脱却することは現実的な選択とは思われない。来るべきエネルギー新時代において、脱炭素化推進と化石燃料利用の継続は深刻なジレンマを引き起こすが、CCUS技術はこのジレンマを解決する重要な役割を担うことになろう。

（本章の3節は、日本エネルギー会議のホームページのコラム http://www.enercon.jp/contribution/ に2019年2月から6月にかけて5回連載したCCUSの解説記事に基づいて記述した）

以下、本章に関連する電気新聞の時評「ウェーブ」等の小論3篇を添付する。

CCSの悩み

地球温暖化対策としてのCCS（CO_2回収・貯留）に関する国際機関の評価は極めて高い。国際エネルギー機関のエネルギー技術展望（ETP2014）では、2050年に世界のCO_2排出量を現状から半減する技術のシナリオ分析を行っており、CCSはベースラインからの削減総量のうち約14%分を担う重要技術とされている。

また、IPCC（気候変動に関する政府間パネル）の第5次報告では、温暖化を2℃以内に抑える目標を実現するシナリオの分析を行っているが、その中でのCCSの評価も極めて高い。例えば、対策技術の一つが使用できなかった場合の２℃シナリオ実現コストの評価をみると、CCSが使えない場合の2100年までのコストは、CCSが使える場合の２倍以上になると評価されており、これは原子力が使えない場合の７％増や太陽光・風力の利用が限定的になる場合の６％増に比べて格段に大きい。

つまり、地球温暖化対策をグローバルで長期的視点から行うと、CCSの意義は極めて明確だ。

意外に思われるかもしれないが、CCSを活用するとエネルギー生産に伴うCO2排出量をマイナスにすることもできる。これは、バイオマスとCCSを組み合わせた場合に実現する効果で、地球温暖化対策の研究者の間では、BECCSという名で知られている。

もちろんBECCSには様々な課題がある。そもそもバイオマスのエネルギー利用には原料の収集・輸送、燃料への変換などの過程でエネルギーが投入される。そしてCCSと組み合わせる場合には更にエネルギーが必要になる。これら全プロセスを通してトータルでCO_2を削減できるかどうか、ライフサイクル全体を見通した評価が必要となる。また、大規模にバイオマスをエネルギー利用すると、世界の土地利用に多大な変化を及ぼす。大規模な土地利用変化による食料生産や生物多様性保全等への影響も慎重に評価しなければならない。

しかし、IPCCの分析によると、CCSは２℃シナリオの実現に不可欠な技術と評価されている。特に発電部門において、BECCSの活用により2050年以降のCO_2排出はマイナスに転じるという姿が描かれている。

このような重要技術であるにもかかわらず、世間ではCCSはほとんど知られていない。

CCSの現在の最大の課題は経済性である。CCSは排煙脱硫や脱硝と同様に廃棄物処理に特化した技術であり、そのままではCO_2削減以外にメリットがない。

脱硫や脱硝でも回収した硫黄や窒素分の有効利用を図っているように、CCSでも回収したCO_2の有効利用（Use）を図るCCUSは当然の対応である。ただし、温暖化対策としてCCSにより回収されるCO_2は、世界全体では年間10億トン単位の規模になると想定されている。このような大規模なCO_2利用の用途としては、現状では油田にCO_2を圧入して石油生産を増進するEOR以外には見当たらないが、光合成促進や地熱回収利用など新たなCO_2利用を目指した基礎研究も進められている。

なお、地球温暖化対策技術としてのコストを比較すると、CCSはそれほど高価ではない。RITEの評価では、石炭火力にCCSを適用した場合、現状技術でCO_2削減1トン当たり8000円弱、先進技術が開発されればさらに半分程度になるとみている。

CCSによる発電効率の低下を考慮しても、石炭火力発電1kWhあたりのコストは4～8円程度である。この程度の増分ならば、現状でも太陽光発電など高価な再エネ発電よりは安い。温暖化対策はイメージではなく、長期的かつグローバルな視点から、冷静な経済性評価を踏まえて進めて欲しい。

（電気新聞、時評「ウェーブ」、2015年11月27日）

CCUへの期待

私が研究所長を務める地球環境産業技術研究機構（RITE）はCO_2

回収・貯留（CCS）技術の開発を先導している。CCSの場合、回収されたCO_2は地中に圧入される。RITEは15年ほど前に長岡で約1万トンのCO_2を圧入し、今まで継続して地下に貯留されたCO_2の挙動をモニタリングしている。また、現在苫小牧で行われている年間10万トン規模の圧入を行う実証試験にも参加している。CCSが安全に行えることは技術的に実証されているが、当然追加コストがかかるので実用化のためには政策的支援が必要になる。

このような状況の中で最近注目を集めているのがCO_2回収・利用（CCU）技術である。CCUでは回収したCO_2を利用して収入を得ることができる。耐久性のある素材に変えてCO_2を固定すればゼロ排出となるし、燃料に変換して再び燃焼しても、もともと大気に放出される筈だったCO_2が出るのだからCO_2中立と主張できる。これがビジネスとして成立すれば確かに素晴らしい。

安倍首相は今年1月のダボス会議で、人工光合成技術などを引用して「今こそCCUを、つまり炭素回収に加え、その活用を考えるときなのです」と述べ、持論の「経済成長と環境の好循環」を実現するイノベーションとしてCCUへの意欲を示した。また、この発言を受ける形で、経済産業省はCCU実用化に向けたイノベーション促進を目的に資源エネルギー庁にカーボンリサイクル室を設置した。

現在でもCO_2は様々に利用されている。国内でも溶接用やドライアイス製造などで年間約百万トンのCO_2需要がある。最近では植物工場などでのCO_2施肥も一般的になった。また、世界的には石油の増進回収（EOR）を主体として年間需要は約8000万トンと推定されている。これらは商品としてのCO_2の需要だが、その他にも尿素生産など化学品製造工程内で発生・利用されているCO_2は、合計すると1億トンを超えるらしい。ただし、温暖化対策としてのCCUには億トン規模の莫大な量のCO_2利用が必要で、EORを除けば利用規模としては物足りない。なお、EOR用にCO_2を利用した場合、石油生産時に一部は大気に戻るが多くは地中にとどまっている。

CO_2利用技術については様々な研究開発が進められている。具体的には、水素とCO_2からメタンやメタノール等を合成して化学品や燃料を製造する技術（人工光合成も含む）、CO_2を電解や高温熱で還元して合成ガス（$CO+H_2$）や炭素繊維等を製造する技術、CaやMgイオンと反応させて炭酸塩を製造してコンクリート材料に利用する技術など様々な研究開発に取り組んでいる。いずれも温暖化対策として十分な量のCO_2を利用できるか、利用プロセス全体（ライフサイクル）を通して本当にCO_2削減になるのか、コスト競争力があるか等を見極めねばならない。

CO_2利用技術の多くで水素を使うが、温暖化対策としての利用のためには水素もCO_2フリーで生産しなければならない。CO_2フリー水素の製造にも多くの技術経済的課題があるし、水素をそのまま利用する場合との比較も行う必要がある。例えば、CO_2と水素からメタンを製造する場合、既存の都市ガスインフラが使えるというメリットの一方で、水素の持つエネルギーの20%以上が失われることも考慮しなければならない。

CCUへの期待は高いが、CO_2利用システム全体の評価を行って、温暖化対策としての有効性を慎重に検討する必要がある。

（電気新聞、時評「ウェーブ」、2019年4月17日）

グリーンファイナンスへの懸念

地球温暖化対策において金融の存在感が急速に高まってきている。

2006年に国連が責任投資原則（PRI）の下で提唱したESG（環境、社会、企業統治）投資は、人類の持続可能な成長を促進する仕組みとして広く受け入れられている。PRIに署名した資産運用機関数は、わが国のGPIF（年金積立金運用機関）を含め、2000を上回り、その運用資産は20兆ドルを超えている。

ESG投資に関連して、最近では温暖化対策に関する企業情報の開示を求める金融機関の動きが活発になっている。CDP（Carbon Disclosure Project）は、気候変動問題への取り組みや温室効果ガスの排出量の公表を求める国際イニシアティブを進め、主要国の時価総額上位企業に対して毎年質問票を送っており、回答率も年々高くなっている。回答は基本的には公表され、取組内容に対するスコアも付されている。2017年には、国際的組織である金融安定理事会が設置したTCFD（気候変動関連財務情報開示タスクフォース）が、気候関連のリスクと機会に関する情報開示を行う企業を支援すること、低炭素社会への移行によって金融市場の安定化を図ることを目的として提言を公表した。わが国でも経産省がTCFDガイダンスを公表し、TCFD提言への積極的対応を進めている。世界的なESG投資は2012年と比べて1000兆円以上増加し、グリーンボンド発行量も50倍に拡大するなど、世界の資金流れが大きく変わりつつある。

発電所への投資やイノベーション創出には金融が大きな役割を果たす。特に市場化が進む電力システム改革の下では金融の重要性が増大する。しかし、急速に増大しているグリーンファイナンスの対象は再エネに集中し、石炭火力に対してはダイベストメント（投資引き揚げ）の傾向が強まっている。信用が基盤の金融では社会の世評（レピュテーション）は無視できない。石炭火力への関与はレピュテーションリスクを招くとの指摘もあるが、長期的なエネルギー政策の目的実現との整合性が懸念される。

（旬刊 EP Report 1950 号、2019 年 5 月 1 日）

6．電力システム革命

電力システムとは、電力の生産（発電）から輸送（送電・変電）、供給（配電）、消費（販売）までの全体システムを意味する。ただし、電力システムという用語で、電力の輸送と供給の部分だけを指す場合もある。この狭義の意味での電力システムは、電力系統とか電力グリッドとも呼ばれる。最近では電力ネットワークという表現もよく使われている。なお、送配電とまとめて呼ばれることが多いが、敢えて送電（輸送）と配電（供給）を分けて表現した。理由は本章を読み進めばご理解いただけると思う。

広義の意味でも狭義の意味でも電力システムは今大きな構造変化を遂げつつある。私はこれを電力システム革命と呼んでいる。本章では電力システムの歴史的展開を振り返りつつ、エネルギー新時代の電力システムを考える。

1）エジソンの発明から公益事業規制まで

電気の世界でもっとも有名な発明家はエジソンである。エジソンの発明としては、京都の竹をフィラメントにした白熱電球がよく知られているが、電力システムにとっては、電球に電気を供給する電気事業を起こしたことがより重要である。

エジソン以前にも摩擦起電機による静電気応用はあったが見世物のようなものだった。エジソンにつながる大きな発明は、動電気（電力）の時代を開いた1800年のボルタの電池だが、1882年の電気事業の開始までには相当の時間間隔がある。この間に、ファラデーやマックスウェル等による電磁気学の理論構築とともに、発電機や電動機、電信機、電話機、電球など数多くの発明があった。エジソンの歴史的貢献は、自ら発明した電球に中央発電所から電気を送る電力システムを事業化したことである。今風に言えば、サプライチェーン全体の事業化という新しいビジネスモデルを作ったことに革命的な意義がある。

生産と消費が同時に行われる電力供給事業において、分散する個々の需要を電力システムでまとめて供給することには、大きな経済的メリットがある。需要毎に発電設備を持つと個々のピーク需要に対応する発電設備が必要になるが、電力システムで需要をまとめると、個々の需要のピークは分散しているので、全体としてのピークは個々のピークの合計より小さくなる。つまり、需要をネットワーク化して中央発電所を持てば、個別に発電設備を持つ場合より合計の発電規模が小さくて済む。それに加えて、設備コストには規模の経済が働くので、設備単価は小さな発電設備より大規模な発電設備の方が安くなる。これが電力システムの需給両面の「規模の経済」である。エジソンの直流電力システムは結局交流電力システムに敗れることになるが、これも交流電力システムの方がより大きなネットワークを効率的に構成できるからである。

電力システムのように「規模の経済」の効果が大きい事業では、事業者間の競争は規模の拡大を誘導し「自然独占」を生むというのが経済理論の示すところである。歴史的にも、昭和初期、戦時体制として電気事業が国家管理される前には、わが国の電気事業社間で血みどろの戦いが行われていた。1951 年に成立した戦後の電気事業体制では、公益事業として電力会社の地域独占を認める一方、原価に基づいて電気料金を規制する事業規制が行われることになった。この公益事業規制は電力の安定供給を実現し、戦後の日本の高度成長を支えた。このような公益事業としての電力事業規制は世界のほとんどの国でも行われた。

2）電力自由化の潮流

公益事業規制の下で経営リスクが小さくなった電気事業は長らく安定的に発展してきたが、安定的過ぎて変化への対応力に乏しいという側面もあった。1980 年代に入り、英国首相のサッチャーが新自由主義に基づき、官営の電気、水道、ガスなどの公益事業の民営化を進め、わが国でも国鉄や電電公社などが民営化されたが、電気事業については 1990 年代に入るまで大きな変化は無かった。

しかし、発電所の大型化による規模の経済の効果が飽和する一方で、コージェネ（熱電併給）など小型でも経済効率の良い技術が次第に進展してきた。また、自家発や分散型電源を電力系統に接続して活用する社会的意義も認識されるようになった。わが国でも 1990 年代半ばに、まず発電部門の自由化が始まった。続いて 2000 年から、小売部門が大口需要家から始まって段階的に自由化され始めた。このような電気事業規制の緩和は一般に自由化と呼ばれることが多いが、公益部門の送配電事業のように規制が継続する部分もあるので、規制改革あるいは電力システム改革と呼ぶ方が正確である。もちろん、規制緩和の方向で改革が進んでいるので、自由化といっても特に差支えは無いと思う。

小売部門の自由化は 50kW 以上の高圧需要家までいったん止まり、電力システム改革は一段落したように見えた。しかし、2011 年 3 月の東日本大震災・福島原子力事故を契機として電力システム改革は大幅に加速した。2013年4月、政府は「電力システム改革に関する改革方針」を閣議決定し、①広域系統運用の拡大、②小売及び発電の全面自由化、③法的分離方式による送配電部門の中立性の一層の確保という3段階からなる改革の全体像を示した。その後、第1段階として電力広域的運営推進機関（広域機関）が2015年4月に設立され、第2段階の家庭向けを含む小売の全面自由化は2016年4月から開始された。そして、第3段階の法的分離による送配電部門の中立化は2020年4月から行われることとなった。送配電事業には公益事業規制が課せられる。

2016年4月から家庭用も含めて全面自由化となったことにより、全ての消費者は電力会社を選択できるようになった。また、電力メーターのデジタル化で様々な需要家サービスも工夫できるようになった。ガスと電気のセット販売など総合エネルギーサービス事業への展開も進んでいる。電力消費者からは見えにくいが、電力小売事業者は電気を自由に、つまり、卸電力市場を含めて様々な発電事業者から調達できるようになった。

一方、送配電部門は公益を担う規制部門として残る。送配電部門の「規模の経済」は依然として存在する。電気事業発足の基盤となった需要のネットワークによるピーク負荷の平準化に加えて、送配電部門を通して広範囲の需給を統合して実現できる需給調整力や予備力の共有は、太陽光など出力が自然変動する電源が急増する電力システムにとっても大きな経済的メリットをもたらす。

しかし、電力システム改革の根幹は決まったものの、発電と小売りを自由化して、瞬時瞬時で需給バランスを取らねばならない電力の安定供給ができるのか、この基本問題への解は、今はまだ手探りの状態だと私は思う。電力の安定供給は単にエネルギー（kWh）を確保するだけでは実現できない。需要の発生する瞬間に過少でも過剰でもない電力を供給し、需要が急変した場合や送電線や電源に事故があった場合にも安定的に電力を供給するためには、事故時などにも対応できる供給力（kW）を持っている必要があるし、需要の急変時などにも遅滞なく供給を変化できる調整力（Δ kW）を確保しておかねばならない。現在は、kWh、kW、Δ kW を取引する様々な市場の制度設計を行っている段階にある。

3）電力システム改革は何処へ行くのか

送配電事業の分離・中立化は、電力のサプライチェーン全体の事業化というエジソン以来 100 年以上にわたって発展してきた電気事業の基本構造を破壊する。この破壊からの創造には、従来の電気事業の内部に隠れていた「安定供給」の価値の明示化が必要になる。

かつての一般電気事業者は、電源計画と整合的な送配電網の整備・運用を行っており、電力需給バランスは、停電の回避とともに電圧や周波数などの品質維持を含め、社内で総合的に調整されていた。ただし、原価に基づく電気料金規制の下で「安定供給」がコスト効率的に行われていたかどうかは検証が難しい。

つまり、今までの電気料金の中には、単にエネルギーとしての kWh 単位の価値だけではなく、事故や災害時も含めて、電圧や周波数などの電気の質を維持する「安定供給」の価値が含まれていた。一方、電力システム改革では、安定供給のために必要な予備力や調整力も市場取引によって確保しようとしている。つまり、今まで隠れていた「安定供給」の価値が顕在化し、新しい価値を持つ複数の商品となって市場で取引されるのである。

図 6.1 には 2018 年以降の各種市場の整備スケジュールを示している。このように、現在進んでいる電力システム改革では、卸電力市場（kWh）、容量市場（kW）、需給調整市場（Δ kW、現在は調整力調達）など様々な市場が並立して運用されることになる。そして、これらの市場の運用主体はそれぞれ異なっている。先行して 2005 年から開設された卸電力市場（kWh）は日本卸電力取引所（JEPX）が運用、2020 年から取引が始まる容量市場（kW）は広域機関が運用、2021 年から順次整備される需給調整市場（Δ kW）については制度の詳細は広域機関で検討され運用はそれぞれの地域の一般送配電事業者が行う。このような市場の並立の下で、それぞれが適切に協調して運営できるかどうか懸念がある。

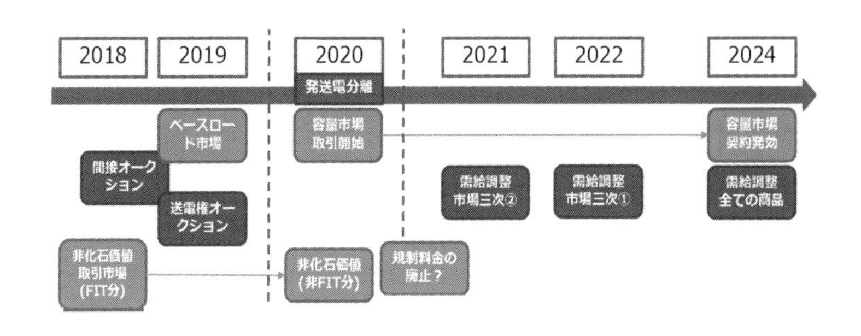

図 6.1　電力システム改革のスケジュール

会社などの組織の意義を解明したコース（ノーベル経済学賞受賞者）によれば、「組織」は「市場」と比べて、契約や与信などに伴う「取引コスト」を削減する意義があるという。発電から販売まで垂直統合されていた従来の電気事業組織では、発電・送配電・販売を一つの組織で行うことにより、安定供給を含めて電力供給全体の管理・最適化が行えた。これに対して、市場による電力供給では、「安定供給」に関する市場を含めて並列的に複雑で膨大な数の取引が行われ、「取引コスト」は増大し、しかも明示的な全体最適の視点は失われる。

総括原価に基づく料金設定など公益事業規制下に置かれていた旧来の電気事業組織に、過剰投資や料金の高止まり、経営の保守化など種々の弊害が生まれていたことは確かである。しかし、現在のわが国の電力システム改革は、東日本大震災後の混乱の中で強引に進められ、拙速感が否めない。段階的に進められてきた電力システム改革が東日本震災後加速し、送配電部門の法的分離という最終段階を迎えて、慌ただしく様々な「市場」の制度設計が行われているが、これらの制度の複雑さからは「取引コスト」の増大を懸念せざるを得ない。

分散している各種市場の運営を一元化する制度的対応を図るとともに、急速に進展するICT技術やIoT、AI、ビッグデータ解析などのデジタル技術によって「取引コスト」が抑制されることを期待したい。

4）情報と電力のシステム統合が拓く世界

電力システム革命からエネルギー新時代へ

東日本大震災後急速に進んだ電力システム改革は送配電部門の法的分離によって最終段階を迎えた。電力システム改革は歴史的に見るとどう位置づけられるのか。この改革の核心は送配電事業の分離・

中立化であり、これはサプライチェーン全体の事業化というエジソンのビジネスモデルの基本構造を破壊するが、この破壊を次の大きなイノベーションの契機として前向きに捉えたい。私は、電力システムの構造変化は改革を超えて革命に向かっていると思う。電力システム革命はエネルギーシステム全体の構造を変え、エネルギー新時代を誘導するのではないか。カギを握るのは情報技術の進展である。

IoT（モノのインターネット）や人工知能、ビッグデータ解析など、注目を集めている最近の技術革新は適用範囲の広い共通基盤技術であり、製造業をモノの生産からサービスの提供へと変身させ、シェアリングエコノミーや徹底した循環型経済を実現して大きな社会革新をもたらすものとして期待されている。この社会イノベーションの中で、エネルギービジネスも大きく変化すると思われる。

既に電力、ガス、石油の間の垣根は取り払われ、需要家が持つ分散資源の動員も含めて、総合エネルギーサービス産業への展開が始まっている。このようなエネルギービジネスの広がりは、共通基盤技術である情報技術の革新がもたらす超スマート社会（ソサエティ5.0）では、さらにシステムの境界を拡大して、社会インフラ事業として発展する可能性がある。この過程で、従来のような電力システムの最適化を超え、より大きな社会インフラ基盤の最適化の可能性が開ける。このような未来のビジョンを共有し機動的で柔軟な精神を持てば、エネルギービジネスに大きなイノベーションを導ける。

このような大きな変化を誘導する事例がすでに表れつつある。FITから自立した再エネ電源の活用は最初の具体的な事例である。2019年10月に余剰買取が終了する住宅用太陽電池を集約して仮想発電所（VPP）の電源として活用するなど、FIT 買取終了後の再エネ電源の有効活用に向けて様々な試みが行われている。一方、需要側では、RE100 に参加して使用する電気全てを再エネにすることを宣言する企業が増えるなど再エネ電気の需要喚起が進んでいる。電動自動車の蓄電池を調整力や災害時の電源として活用する事例も進んでいる。技術と社会のイノベーションを通して、社会インフラやビジネスの構造を大きく変えるエネルギーシステム革命を導くのではないか。

広域化する送電、分散化する配電

法的分離後の送配電は公益事業として中立性が要求されるが、送電と配電とでは期待されている事業内容がかなり異なると思う。政府の審議会資料には「広域化する送電」と「分散化する配電」という表現がある。単純に割り切っていえば、送電には全国大での効率的な公益の追求、配電にはデジタル化を踏まえた新しいビジネス展開の基盤（プラットフォーム）が求められていると思う。

再エネの未来について論じた第 3 章でも述べたように、既存の電力ネットワークを徹底的に利用するコネクト＆マネージの取り組みを進めるとともに、新たな系統増強については計画的にプッシュ型で系統整備を行う必要がある。自由化を進める電力システム改革の中では競争圧力の下で短期的対応が促進されるが、広域的な基幹送電系統整備は長期的視点で計画的に行う必要がある。基幹送電設備に限らず、エネルギー安全保障のための電源設備も含め、公益を支えるインフラへの投資には長期的視点が必要であり、固定費が安定的に回収できる制度など長期投資回収の予見性を強化する仕組みが必要だと思う。

一方、電力システム改革の中で、配電を基盤として期待されている新しい電力プラットフォームビジネスにも注目しておく必要がある。プラットフォームとは、一般的には台座のことだが、ビジネスでは、不特定多数の顧客に様々な製品やサービスを仲介する取引の場の意味で使われている。情報技術(IT)の急速な進展によって個人・個社がインターネットで繋がり、プラットフォームは多種多様な莫大な量の取引を柔軟に扱えるようになった。

需要家と連系する配電は、自家発や電動自動車など分散する需要側資源活用の前線に位置し、新しいエネルギービジネス展開のプラットフォームを提供できる。既にアグリゲーションビジネスが展開しており、複数の需要家を束ねた需給調整（正と負のデマンドレスポンス）を供給力や調整力として商品化し、小売事業者や送配電事業者と取引を行っている。これをプラットフォーム化すれば、P2P（ピア・ツウ・ピア）の需要家間での電力取引も可能になり、様々な新しいビジネス展開を誘発できるだろう。再エネ大量導入に必要とされる需給調整力としても、この新たな電力プラットフォームビジネスの役割が期待される。

配電が提供できるプラットフォームのもう一つの形態は、スマートメータのデータを活用するビジネスである。場所と時刻と電力量のデータは、電力サービスへの活用だけでなく、生活行動や人口動態の把握に使えるし、他のデータと組み合わせて活用すれば防犯や防災等にも役立つだろう。ただし現状では、データセキュリティ確保、電気事業規制や計量法の縛りなど実用展開には課題も多い。具体的なビジネスモデルを想定して法制度の整備を行う必要がある。

2020年の国会では、FIT抜本見直しに関する法案とともに電気事業法の改正案も審議されている。今回の電気事業法改正案は、持続可能な電力システム構築小委員会（略称、構築小委）が2019年末にまとめた提案に基づくもので、法的に分離された送配電事業の新たな事業形態を定めるものである。

この法案では、今まで総括原価方式で決めていた託送料金にインセンティブ規制（レベニューキャップ）を導入することや災害復旧時の連携に関する仕組みとともに、配電事業ライセンスなどの導入を提案している。順調に進めば今国会での電気事業法改正によって配電ライセンスやアグリゲーターライセンスという新しい制度が誕生する。

新たに導入される配電ライセンスでは、一般送配電事業者から譲渡または貸与された配電系統を運用できる。近年急速に増大している再エネ電源やコージェネ、蓄電池など需要側に存在する分散型エネルギー資源の活用には、配電系統の運用が重要な役割を果たす。また、FIT制度の抜本見直しの中では、地域活用型の再エネ利用を促進する制度が提案されており、ここでも配電系統運用の役割が重要になる。配電ライセンスによって分散型電気事業という新事業形態が制度化され、独立した経営によって様々な経営戦略の展開が期待できる。スマートメータのデータ活用など新たな配電プラットフォームビジネスに挑戦することも可能になるだろう。

アグリゲーターライセンスは、電気事業者に卸供給を行うアグリゲーターに事業ライセンスの取得を求める制度である。需要や分散型エネルギー資源を集約して運用するアグリゲーションビジネスは既に様々な形態で展開されている。アグリゲーターライセンスは、託送によって分散型エネルギー設備を束ねて様々な電力サービスを提供する事業に資格を付与するもので、VPP（仮想発電所）など分散型資源を活用する新ビジネスを支える制度となる。

また、電力プラットフォームビジネス展開の障害になると懸念されていた電気計量制度についても、事前に取引の届け出を行えば、その取引に限り計量法の適用を除外できる制度が提案されている。

エジソン以来ネットワーク産業として広域化・大規模化によって成功を収めてきた電気事業にとって、分散型電気事業には違和感があるだろう。しかし、これは新しい電気事業の時代の始まりと捉えた方が良い。太陽電池や蓄電池など、急速なコスト低減が進むネットワークの需要側に連系された多様で大量の分散型エネルギー設備を、以前は想像もできなかったような大量かつ高速な情報処理によって制御することが技術的に可能になっている。電力システム革命は、急速に進展する情報技術と結びつき、需要側にある電源やエネルギー貯蔵設備など様々な分散型のエネルギー資源を動員して新たなエネルギーシステムを形成し、エネルギー新時代を誘導すると思われる。

以下、本章に関連する電気新聞の時評「ウェーブ」の小論９篇を添付する。

地産地消の呪縛

地産地消とは地域で生産したモノを同じ地域で消費すること。食材の自給を促す目的で使われ始めたようだが、スローフードやロハスなどと同様に、環境・安全や持続可能性を重視した環境にやさしいライフスタイルを表すキーワードとして定着している。

最近では、地域資源である再生可能エネルギーの開発や電力自由化に伴う電源選択でも地産地消が強調されている。地産地消には地域経済の振興という目的に加えて、環境に優しいという魅力的なイメージが伴っているので、特に地方自治体に好まれている。しかし、エネルギーの地産地消には違和感を懐く場面も多い。

確かに、輸送に高いコストがかかるバイオマスや熱の利用は地産地消に合理性がある。わざわざ遠くに運ぶより産地の近くで使えばよい。しかし、電気の場合には違和感が大きい。

そもそも、エジソンが電気供給をビジネスとして成功させたのは、複数の需要を電線のネットワークで束ねて効率的に供給する電力システムを実現したためである。交流による高電圧送電で遠方の大規模発電所の活用が可能になり、電力システムは急速に広域化・大規模化してますます効率的になった。エジソン自身は広域化に限界がある直流に固執したため電気事業の経営者としては失敗した。

ネットワークの広域化による効率向上は、単なる規模の経済だけでなく、各瞬間で需給をバランスさせる必要がある電気という商品の特殊性に基づいている。

瞬時瞬時の需給バランスが要求される電力システムでは、最大需要(ピークkW)に対応した発電設備を確保しなければならない。個々の需要は1年を通して大きく変動するので、ピークkWに対応する容量を持つ電源の年間利用率は大幅に低下する。一方、多数の需要を束ねると需要全体の負荷形状の平準化が起こり、束ねた需要のピークkWは個々の需要のピークkWの合計よりも小さくなる。つまり、需要をネットワークで束ねることにより、個々の需要ごとに発電機を持つ場合に比べて、必要な発電設備容量を大幅に節約できる。また、供給安定化のための予備力や調整力もネットワークで共有することで効率化できる。さらに、太陽光や風力のような自然変動電源も広域のネットワークで連携すると出力変動を平準化できるので供給が安定化する。

つまり、電力需給を限られた地域でバランスさせる地産地消には経済的合理性がない。このように経済性だけを取り上げると、地産地消について、経済性だけでなく、低炭素電源や分散電源の活用など電源選択の地域主権の行使というメリットを強調して反論される場合がある。しかし、これにも違和感がある。電気はモノではなく、ネットワークに入ってしまえば再エネにしろ、火力や原子力にしろ、電源の色はなくなる。同じ電力系統を利用していれば、電源構成は系統全体で決まる。もちろん、独立の電力系統を構成すれば電源を選択できるが、年間を通して kW の需給がバランスする特殊な場合を除いて、これにはとてつもないコストがかかる。

地域の視点から電力供給に貢献したいという気持ちは尊重すべきであるが、そのためには、需給状況に応じて、自家発や蓄エネ設備を活用するとか、需要そのものを調整するなど、需要側を積極的に電力需給調整に参加させる発想が必要だと思う。

地域の再生可能エネルギーや需要側が所有する電源などの分散電源の活用はとても重要なことと考えているが、地産地消の呪縛によって非合理な行動が促進されるのは残念である。少なくとも電気利用の範囲では、分散型の資源は、需要側のものも含めて、ネットワークを通してシステム全体のために有効活用すべきである。

（電気新聞、時評「ウェーブ」、2016 年 5 月 9 日）

固定費負担が公益の鍵

福島事故後の異常事態の中で突如加速された電力システム改革は、市場を通した競争による効率化を重視して進められている。市場競争は短期的な利益追求への圧力を高める。経済的利益を求める市場競争の下で供給安定性や地球温暖化対策などの公益目的を達成するため、容量メカニズムや非化石価値取引市場の検討が始まるなど、電気事業制度は複雑化の様相を見せている。

電力供給では、発電所や送配電設備などの供給インフラ形成に莫大な投資が必要であり、これらは大きな固定費となる。インフラ投資では規模の経済の効果が大きいため、電気事業者間の競争は供給規模の拡大を誘導し「自然独占」となるというのが従来の基本的考え方だった。この基本認識の下、電力会社の地域独占を認める一方で、原価に基づいて料金を規制する事業規制が行われていた。

電力システム改革の契機は様々だが、経済理論的には、規模の経済への疑問から始まったといえるだろう。発電所の大型化による経済性向上は飽和する一方、熱電併給発電（コージェネ）など小型でも経済効率の高い技術が進展してきた。また、自家発や分散型電源を電力系統に接続して活用する社会的意義も認識されるようになった。わが国でも90年代半ばに、まず発電部門が自由化された。

続いて小売部門が大口需要家から始まって段階的に自由化され、今年（2016年）4月からは家庭用も含めて全面自由化となった。小売自由化は消費者の選択肢を拡大させる。メーターのデジタル化で種々の需要家サービスも工夫できるようになった。ガスと電気のセット販売など総合エネルギーサービス事業への展開も期待できる。

一方、送配電部門は公益を担う規制部門として残る。送配電部門の規模の経済は依然として存在する。電気事業発足の基盤となった需要のネットワークによるピーク負荷の平準化に加えて、広範囲の需給を統合して実現できる需給調整力や予備力の共有は、太陽光など出力が自然変動する電源が急増する電力システムにとって大きな経済的メリットをもたらす。

しかし、送配電部門への規制だけで公益を守るのは容易ではない。審議会報告では「安定供給マインド」に期待するような楽観的な表現もあったが、そんな情緒的な対応では到底対処できない。送配電部門のコストのほとんどが固定費であり、託送料金はコスト構造を反映するよう修正が必要だ。また、送配電部門には、発電・小売り事業者に対して中立・公平であることが求められるが、全員が納得する固定費配分は難問だ。若い頃に読んだ公益事業論の教科書に、「公平は混乱の母」という一節があったことを思い出す。

公益目的としては、政策目標として提示されたエネルギーミックスを実現する必要があるが、これにも固定費が伴う。過去の設備投資に伴う固定費の未回収部分への対応に加えて、今後の投資回収についても制度整備が必要だ。議論が始まっている調整力や予備力確保の制度、事故炉以外の原子炉廃炉費用の託送料金による回収など、いずれも固定費負担の在り方に係るものである。

送配電設備や安定供給のための設備は、例えれば、道路や信号機のようなもので、その恩恵は利用者全体が享受する公益になる。また、エネルギー安全保障や温暖化対策は国全体として実現すべき公益である。そして、その費用の多くは電力使用量にかかわらず発生する固定費になっている。

つまり、公益目的の実現には固定費の負担方式の整備が鍵になるのだが、短期の利益を追う現実の市場では、長期的視点が必要な固定費の回収には高いリスクが伴う。市場活用と公益目的実現の間には、固定費回収において根本的な矛盾があるように思う。

（電気新聞、時評「ウェーブ」、2016 年 11 月 9 日）

歴史的時間感覚

今年（2017 年）はロシア革命 100 周年、来年は明治維新 150 周年である。世界的に見れば、国家の体制が根本から変わるような歴史的変化はかなり頻繁に発生している。このような歴史を振り返れば、人間が作った制度が未来永劫続くことは無いことがよくわかる。ロシア革命によって成立したソ連という共産主義国家は 70 年ほどで崩壊したし、天皇親政の明治体制も 80 年弱で消えた。

社会の基本制度が変わる時には、潜伏する地下構造の変動はゆっくりしていても、変化が社会全体に見えてくると、その後の変化は目まぐるしく急速に起きる。戦国時代、桶狭間の勝利で台頭した信長は約 20 年後に本能寺の変で不慮の死を遂げたが、秀吉の天下統一はその 8 年後、家康が天下を取った関ヶ原の戦いはそれから 10 年後である。明治維新になると、変化の速度はもっと加速する。黒船来航から明治維新まで、15 年しか経っていない。

一方、自分が生きた同時代の歴史的な変化には、少なくとも国内については、このような激しさがないような気がするが、錯覚だろうか。

今年 67 歳になった私の実体験として記憶に残っている歴史的事件は 1960 年の安保闘争辺りからである。その後わが国では、60 年代の高度経済成長、70 年代の石油危機、80 年代の国鉄など公社の民営化、90 年代の金融業界の再編成、そして 21 世紀に入ってからのインターネットによるビジネス展開など、社会の変化は確かに進んでいるが、革命的変化と呼ぶほどではないと思う。

ソ連が崩壊したときには、「歴史の終焉」という表現が使われた。この表現には、民主主義と市場経済に基づく社会制度が、人間の歴史の中で最終的に勝利したという意味合いがあった。確かにそうならいいのだが、その後の現実を見ると、そんな楽観論は吹き飛んでしまう。一党独裁の中国は驚異的な発展を遂げ、世界最大の民主主義国家と呼ばれるインドとの経済格差は拡大している。イラクやリビアなどは、独裁政権を倒した後の国家統治に失敗し、テロ組織ISIL（イスラム国）の温床になっている。一方では、民主主義国の内部において、偏狭な政治勢力の勢いが増している。

ここで、電気事業制度の変化に目を転じてみよう。電気事業制度は国によって、また同じ国内でも時代の変化によって様々な形態をとってきた。第 2 次世界大戦後のわが国の電気事業制度は占領下の激動の中で誕生した。発電・送配電・販売の垂直統合と地域独占、原価に基づく料金規制という安定した経営環境の下で、電力会社は戦後のわが国の発展を支えた。90 年代から顕在化した規制緩和という世界的潮流の中で、発電と販売の部分的な自由化が行われたが、これらは緩やかな地下構造の変動に分類されよう。

社会的に電気事業体制の変化が表面化したのは、東日本大震災に伴う福島事故が契機だった。事故後の電力会社を取り巻く政治経済状況の悪化により電力会社は弱体化し、小売販売の全面自由化と送配電部門の法的分離を受け入れざるを得なくなった。歴史が示すように、激動の時代は、変化を求める側に誤解や無知による非合理が多数発生する一方で、安定環境に慣れた保守側は過去の考えに縛られて変化の方向が読めない。

福島原子力事故は戦後の9電力体制発足から60周年の年に起こった。無責任な言い方になるが、歴史的時間感覚から言えば、そろそろ革命的変化が発生してよいタイミングだった。もちろん非合理が跋扈する激動の時代は速やかに収束させる必要があるが、肝心なのは変化の行く先である。カギを握るのは、情報通信技術と需要側の資源の活用だと私は思う。公益確保は国の仕事である。

（電気新聞、時評「ウェーブ」、2017年5月31日）

電力革命の行方

最近、エジソン以来の電力革命が起こりつつあるのではないかと感じている。摩擦による帯電など電気の発見は大昔のことだが、電気供給がビジネスとして大きく発展したのはエジソンによる電気事業の創設以降である。

エジソン以前にも摩擦起電機による静電気応用はあったが見世物のようなものだった。エジソンにつながる大きな発明は、動電気（電力）の時代を開いた1800年のボルタの電池だが、1882年の電気事業の開始までには相当の時間間隔がある。この間に、ファラデーやマックスウェル等による電磁気学の理論構築とともに、発電機や電動機、電信機、電話機、電球など数多くの発明があった。エジソンの歴史的貢献は、自ら発明した電球に中央発電所から電気を送る電力システムを事業化したことである。今風に言えば、サプライチェーン全体の事業化という新しいビジネスモデルを作ったことに革命的な意義がある。

生産と消費が同時に行われる電力供給事業において、分散する個々の需要を電力システムでまとめて供給することには、大きな経済的メリットがある。需要毎に発電設備を持つと個々のピーク需要に対応する設備が必要になるが、電力システムで需要をまとめると、個々の需要のピークは分散しているので、全体としてのピークは個々のピークの合計より小さくなる（負荷の平準化という）。つまり、需要をネットワーク化して中央発電所を持てば、個別に設備を持つ場合より合計の設備規模が小さくて済む。それに加えて、設備コストには規模の経済が働くので、設備単価は小さな設備より大規模な設備の方が安くなる。これが電力システムの需給両面の規模の経済である。エジソンの直流電力システムは結局交流電力システムに敗れることになるが、これも交流電力システムの方がより大きなネットワークを効率的に構成できるからである。

さて、現在の電力システム改革は歴史的に見るとどう位置づけられるのか。この改革の核心は送配電事業の分離・中立化であり、これはサプライチェーン全体の事業化という基本構造を破壊する。エジソン以来の電力革命という認識はここに由来する。

この革命をもたらした原因は、再エネやコージェネ、蓄電池などの分散型技術の進展や情報通信・制御技術の急速な進歩という技術革新だけではない。旧来の電気事業を支えてきた、規制の下での地域独占という事業制度が経営の保守化を招き、急速に進展する技術革新へのチャレンジ精神が乏しかったという側面もある。規制に守られたサプライチェーン全体の事業化の下で、特に、メーターの先の需要側を活用する視点を見失ったことの影響は大きい。近年の技術革新のほとんどは電気の需要側で起こっているからである。

進行しつつある電力革命の中では、従来のような計画的な電力システム全体の最適化はできない。革命の先行きは不透明だが、簡潔に希望を述べたい。

公益部門としての送配電事業は、ネットワークの整備・運用権限を強化すべきである。販売事業は、電気供給に限らず総合エネルギーサービスを展開するとともに、シェアリングエコノミーの進展に対応して、需要側のエネルギー関連資源を調達・運用し、需給調整や省エネの推進にも寄与すべきである。発電事業については、競争による効率化とともに、安定供給や温暖化対策など公益実現のための制度整備が必要である。

巨額の国民負担で急伸する再エネ発電、信頼を失って低迷する原子力など課題山積だが、電力革命は進行するだろう。尊王攘夷を唱えて実現した明治維新が開国で成功したように、種々の不条理が発生するだろうが、革命には機動的で柔軟な精神が必要である。

（電気新聞、時評「ウェーブ」、2017年8月31日）

送配電事業の中立化

空いているのに繋げない、費用が高い、手続きが遅い。再エネ電源の電力系統接続に関する苦情の声が大きくなっている。特に、電力系統容量の年間平均利用率20%程度というデータに世間は驚いたようだ。電力系統はガラ空きだという訳だ。

しかし、電力系統に少し知識がある人なら、平均利用率20%に驚くとは思えない。大学での研究テーマで柱上変圧器の利用率を推定したことがある。一つの柱上変圧器で10軒程度の住宅に配電しているが、家庭の負荷モデルで計算すると、変圧器の設備利用率はほとんどが20%を下回っていた。系統に繋がっている変圧器には、有効電力が流れていない時にも無負荷損（磁場形成に伴うので鉄損という）が生じるが、これが相当大きいことに驚いた記憶がある。

容量が空いているのに接続させてくれないという苦情の背景には、瞬時瞬時の需給バランスが必要な電気の特性への理解不足もあるが、送配電部門の中立化という電力システム改革の制度の準備不足という側面もある。

発電から販売まで垂直統合されていた昔の電力会社では、送配電部門の整備・運用も原則として一社内で行われていた。kWh単位で電気を販売して収入を得ていたが、電源の系統運用によって、kWやΔ kWも含めて総合調整を行って電気の品質を保っていた。ところが、現状の電力システム改革は、発電と販売は自由化、送配電は公益部門として中立化し、kWh、kW、Δ kWをそれぞれの市場で調整する体制に向けて制度を整備中という段階にある。制度整備中という認識を共有しないと、無用の誤解や疑心暗鬼を招く恐れがある。

再エネ電源の系統制約克服については、私が委員長を務める審議会で検討中である。多くの論点があるが、ここでは日本版コネクト&マネージと呼ばれる対応について私見を含めて解説したい。

コネクト&マネージでの対応は3タイプ。一つ目は、想定潮流の合理化で接続できる空き容量を拡大するもの。従来は接続契約している電源が定格（最大）出力で動くと仮定して空き容量を算定していたが、太陽光や風力は自然条件で出力変動するように、電源はいつも最大容量で運転するわけではない。自社電源を運用していた電力会社では潮流の想定が容易にできていたが、これを中立化した送配電でも可能な限り行う。

2番目は、N-1電制である。N-1運用とは、どの送電線1回線が故障しても停電を回避し、周波数や電圧の変動を受入れ可能な範囲に維持する事故対応のこと。2回線の送電線では、このルールの下では容量の50%しか使えない。N-1電制とは、故障発生時にリレーで瞬時に電源制限を行うことで、事故時に備えた予備容量を通常時にも使って運用容量を拡大すること。なお、制限された電源は販売できずに損するが、これは費用負担ルールを決めて対応する。

3番目は、ノンファーム接続と呼ばれるもので、送電容量枠は持たず、空きがある時に送電できるという条件での接続。空き容量がなくても接続できるが、物理的な需給調整に入る前には接続枠が与えられるので、需給調整段階での調整ルールが必要になる。

以上の3つの対応は昔の電力会社では社内運用として出来ていたはずだが、送配電事業が中立化されると、接続する電源の運用ルールが必要になる。系統関連費用の負担など中立化に伴う課題は多い。

（電気新聞、時評「ウェーブ」、2018年3月20日）

送電と配電

大学教員を務めていた時、電力システム工学の講義中に学生から「送電と配電の区切りは何処ですか？」と質問されたことがある。原子力工学科出身で、40歳代半ばで電気工学科の教員に転職したばかりの私は一瞬戸惑ったが、「配電用変電所の下流が配電、上流が送電」と答えた。間違いではないと思うが、配電の定義に配電用変電所を持ち出すのは同義反復なので、迷答であって名答ではない。

こんな昔のエピソードを思い出したのは、わが国の電力システム改革が第３段目の送配電事業の法的分離に差し掛かってきたからである。電力輸送インフラには公益性があり、発電と販売の全面自由化に伴って中立化する必要性は理解できる。しかし、メーターを含めた配電線の末端まで送配電部門全体を一体として中立化する必要があるのだろうか。配電は販売と直結しており、多様なビジネス展開を支えるインフラで、電源を束ねる送電とは別の運用制度を考えてもよいのではないか。事実、欧米では送電と配電を分けて事業分離しているケースが多い。

ところで、現在のわが国では、配電電圧は6600ボルト（３相高圧）が主流で、家庭用には柱上変圧器等で100ボルト（単相３線式で200ボルトも可）の低圧に下げる。配電用変電所の上流側電圧は６万６千ボルトが主流で、大規模工場などではこの特別高圧を直接使っている。一方、戦時中の電力国家管理の時代には、日本発送電（株）が重要電源とともに10万ボルト以上の送電線（一部４万ボルト以上）を所有し、９つに統合された配電会社は10万ボルト未満の配電線を所有して販売を行っていた。送電、配電といっても、現在とは電圧が相当違っている。また、欧州の配電事業者の場合も、配電電圧は10万ボルト程度までカバーしていることが多い。それぞれ歴史的背景があるが、送電と配電の境目には幅があると考えてよい。

前回（2018年３月20日）の本欄に「送配電事業の中立化」と題して寄稿したが、中立化の対象は主として送電部門だと思う。日本版コネクト＆マネージなど系統制約の克服に必要な制度はほとんどが送電部門に係ることである。送電部門には「広域化」と「柔軟性」による電力供給の全体最適への誘導を求める一方で、配電部門には

「分散化」と「スマート化」で超スマート社会（ソサエティ5.0）における新ビジネス展開への支援を求めたい。

配電線に連系する電動自動車のバッテリーや小規模自家発など需要側が持つ資源を電力ネットワーク全体の需給調整に活用するには、社会の中に大量に分散している設備を運用し、それに対価を支払うビジネスモデルが必要である。このビジネスでは需要家が持つ設備を電力ネットワークでシェアして運用することになる。このようなシェアリングエコノミーはスマート化が得意とする分野である。ブロックチェーンのような分散型決済システムが運用できるよう制度整備を進めるべきだろう。

需要と直結する配電インフラは、計量を含めて、ガスや水道、通信など他のユーティリティサービスのインフラと連携して構築すれば、大きなシナジーを生み出す可能性がある。遠隔地への電力供給などのユニバーサルサービスの維持も含め、地域の条件や個性を生かした社会インフラへと発展させるために、配電には送電とは異なる対応が求められているのではないか。

（電気新聞、時評「ウェーブ」、2018年5月2日）

破壊と創造

ヒンドゥー教の3大神はブラフマー、ヴィシュヌ、シヴァで、それぞれ、創造と維持と破壊を担当している。ブラフマーの妻は、わが国でもお馴染みの弁天さん（サラスヴァティ）である。エネルギー分野では、平成時代の後半はシヴァ神が猛威を振るったが、令和時代はブラフマー様とヴィシュヌ様にもご活躍をお願いしたい。

平成後半のエネルギー分野の最大の破壊は、印象的には福島原子力事故だが、エネルギーシステム構造変化という視点からは電力・ガスシステム改革である。両部門の小売り全面自由化によって2次エネルギー種別の事業体制は破壊された。しかし、一方でエネルギー種別の壁の破壊によって総合エネルギーサービス事業が可能になった。この機会を逃さず、事業者には積極的にビジネスモデルの創造に取り組んでいただきたい。

電気事業に関しては、来年度に迫った送配電部門の法的分離がより大きな破壊になる。送配電事業の分離・中立化は、電力のサプライチェーン全体の事業化という、エジソン以来100年以上にわたって発展してきた電気事業の基本構造を破壊する。この破壊からの創造には、隠れていた「安定供給」の価値の明示化が必要になる。今までの電気料金の中には、単にエネルギーとしてのkWh単位の価値だけではなく、事故や災害時も含めて、電圧や周波数など電気の質を維持する「安定供給」の価値が含まれていた。現在進んでいる電力システム改革では、卸電力市場（kWh）に加えて、容量市場（kW）や需給調整市場（Δ kW）などにより、「安定供給」に係る価値を商品化しようとしている。市場による「安定供給」確保の仕組みは創造であるが、その道はまだ不透明である。

さて、福島事故という破壊は原子力を窮地に追込み、太陽光など再エネの役割を際立たせ、自立した再エネの主力電源化という創造を目指すことになった。再エネの自立のためには、入札等による発電コスト低下だけでは不十分で、電力系統コストを含めたトータルコストを最小化する必要がある。太陽光や風力発電など、自然条件によって設備利用率が低く出力が変動する電源は、接続する電力系統の利用率も低下させ、新たな需給調整力も必要となるため、系統コストは上昇せざるを得ない。コネクト＆マネージなどで既存系統を最大限活用するとともに、今後の系統増強を効率的に進め、電源と系統の運用に新たなルールが必要になる。この新たな電力系統という創造は、ようやく緒に就いたところである。

電力システム改革と再エネ自立・主力化は、より大きな創造につながる可能性がある。IoT（モノのインターネット）や人工知能、ビッグデータ解析などが実現する超スマート社会は、製造業をモノの生産からサービスの提供へと変身させ、シェアリングエコノミーや徹底した循環型経済を実現して大きな社会革新をもたらすものとして期待されている。デジタル革命が牽引する社会イノベーションの中で、エネルギー分野でも破壊と創造のドラマが展開するだろう。

需要家が持つ自家発や蓄電池など分散資源の動員も含めて、既に展開し始めている総合エネルギーサービス事業は、さらにシステムの境界を拡大して、社会インフラ事業として発展する可能性がある。この過程で、従来のような電力システムの最適化を超え、より大きな社会インフラの最適化という創造の可能性が開ける。

（電気新聞、時評「ウェーブ」、2019年5月14日）

単位と計量

デジタル社会の到来で膨大なデータ（ビッグデータ）が計量されるようになってきた。リアルタイムで計量されるビッグデータにより、個人や社会、自然環境等の現状が、よりきめ細かく、より正確に、より迅速に把握できる。正確に計量されたビッグデータが超スマート社会（ソサエティ5.0）を支える基盤である。

ところで、計量には単位がつきものだが、SI（国際単位系）が

2019 年 5 月に改訂されたことはご存じだろうか。

SI には、時間（s）、長さ（m）、質量（kg）、電流（A）、温度（K）、物質量（mol）、光度（cd）の 7 つの基本単位があり、その他の単位はこれらを組み合わせて表現される。例えば、エネルギーの単位（J）は 1N（ニュートン）の力がその方向に物質を 1 m動かすときの仕事量と定義されているので、単位は N・m であるが、SI 基本単位の組み合わせでは $kg \cdot m^2 \cdot s^{-2}$ となる（力（N）は質量（kg）×加速度（$m \cdot s^{-2}$）で定義されることを思い出してほしい）。

今回の SI の改訂で質量の定義がプランク定数に基づくものとなった。これで、基本単位は全て物理定数から導かれることとなり、唯一残っていた人工物（キログラム原器）は不要となった。計量の単位は人間から独立して自然の一部になったといえる。

しかし、計量そのものは極めて人間的である。計量の歴史では、人間が道具を作るための長さの計量から始まり、農業とともに面積や体積の計量が行われ、金銀などの貨幣流通に伴い重さの計量が始まったとされている。つまり、人間の経済活動に必要な作業として計量が行われている。

電気の計量では、2024 年にはスマートメータが全戸に設置される見通しだ。スマートメータからは電力量に加えて時間や位置情報も得られる。送配電設備も IoT（モノのインターネット）で結ばれ様々な計量が行われるようになってきている。こうした計量データを活用して、電力アグリゲーションビジネス、P2P（個人間）の電力取引、EV（電動自動車）の充放電制御、更には防災対策や見守りサービスなど様々な電力プラットホームビジネスの展開が期待されている。

ここで問題となっているのが計量法の縛りである。わが国の計量法では、取引や証明に使う計量は検定に合格した計量器を使うことが義務付けられている。このままでは期待されている新ビジネスの展開には莫大な計量コストが発生する恐れがある。例えば、現在のEVの急速充電は時間単位で料金を支払うケースが多いので最大kWでの充電が有利であり、EVの充放電制御を需給調整に活用するインセンティブがない。むしろ逆にピーク需要の発生を招きやすく配電線への負担が大きい。充電電力量（kWh）を計量して料金制度を工夫する必要があるが、それには追加コストが掛かる。また、P2Pのような少量の電力取引では計量コストが大きなハードルになる。電力プラットホームビジネスの展開のためには、検定付き計量器を義務としない柔軟な計量の実現が必要である。

計量の単位の世界では人工物が消えたというのに、電力プラットホームを活用した新ビジネス展開では計量法という人工の制度によって制約を受けている対比的な状況である。計量は地味だが工学の一領域として歴史は長い。真理を探求する理学と異なり、実用性を重視する工学として計量が柔軟になるのは当然のことだろう。

（電気新聞、時評「ウェーブ」、2019年8月22日）

分散型電気事業の誕生

2020年4月の送配電事業の法的分離が目の前に迫ってきた。電力システム改革の最終ステップである。とは言え、容量市場や需給調整市場など様々な市場整備が進行中で、新しい電力システムの基本構成は出来たが具体的な制度の詳細はこれからである。

送配電部門でも今後の制度設計の方向性は見えてきている。電力ネットワークとして送電と配電は一体であるが、大規模電源を連系する基幹送電線と需要家に直結する配電線とでは期待される機能が異なる。審議会では「広域化する送電」、「分散化する配電」というキーワードでこの違いを表現している。この認識の方向性に沿って、「持続可能な電力システム構築小委」は昨年末に中間取りまとめを行い、託送料金にインセンティブ規制（レベニューキャップ）を導入することや災害復旧時の連携に関する仕組みとともに、配電事業ライセンスなどの導入を提案した。順調に進めば今国会での電気事業法改正によって配電ライセンスやアグリゲーターライセンスという新しい制度が誕生する。

新たに導入される配電ライセンスでは、一般送配電事業者から譲渡または貸与された配電系統を運用できる。近年急速に増大している再エネ電源やコージェネ、蓄電池など需要側に存在する分散型エネルギー資源の活用には、配電系統の運用が重要な役割を果たす。また、FIT 制度の抜本見直しの中では、地域活用型の再エネ利用を促進する制度が提案されており、ここでも配電系統運用の役割が重要になる。配電ライセンスによって分散型電気事業という新事業形態が制度化され、独立した経営によって様々な経営戦略の展開が期待できる。スマートメータのデータ活用など新たな配電プラットフォームビジネスに挑戦することも可能になるだろう。

アグリゲーターライセンスは、電気事業者に卸供給を行うアグリゲーターに事業ライセンスの取得を求める制度である。需要や分散型エネルギー資源を集約して運用するアグリゲーションビジネスは既に様々な形態で展開されている。アグリゲーターライセンスは、託送によって分散型エネルギー設備を束ねて様々な電力サービスを提供する事業に資格を付与するもので、VPP（仮想発電所）など分散型資源を活用する新ビジネスを支える制度となる。

事業ライセンスの導入は一見すると規制強化に思われるが、新しい事業形態を可能とする今回はそうではない。災害時の対応を含め、地域や消費者に付加価値を含めた新たな電力サービスを提供する新事業に規律を与える制度として、前向きに捉えてほしい。

電力プラットフォームビジネス展開の障害になると懸念されていた電気計量制度についても、事前に取引の届け出を行えば、その取引に限り計量法の適用を除外できる制度が提案されている。

エジソン以来ネットワーク産業として広域化・大規模化によって成功を収めてきた電気事業にとって、分散型電気事業には違和感があるだろう。しかし、これは新しい電気事業の時代の始まりと捉えた方が良い。太陽電池や蓄電池など、急速なコスト低減が進むネットワークの需要側に連系された多様で大量の分散型エネルギー設備を、以前は想像もできなかったような大量かつ高速な情報処理によって制御することが技術的に可能になっている。これからの分散型電気事業の挑戦に期待する。

（電気新聞、時評「ウェーブ」、2020年3月3日）

7．新時代を拓く俯瞰的視点

東日本大震災後、わが国のエネルギーは大きな転換期を迎えている。電力とガスの小売り全面自由化の実現により、エネルギー種別の事業の壁が崩され、総合エネルギーサービス事業の本格化が期待されている。電気事業では2020年度には送配電事業の法的分離がある。また、福島原子力事故後は、経済的に自立した再生可能エネルギー（再エネ）の主力電源化が大きな課題となっている。再エネの自立化のためには、電源コストの低減だけでなく、電力系統コストも含めたトータルコストを最小化する必要がある。一方、社会システムも情報通信技術の急速な進展・普及による超スマート社会の到来という大きな転換期を迎えている。

このような大転換期の中からエネルギー新時代を創造するためには、全体を俯瞰し大胆に未来に挑戦する必要がある。

1）成熟時代のエネルギー需要

平成時代を振り返ると、バブル崩壊から始まり、人口減少への転換があり、リーマンショックを経て最後は東日本大震災など災害が続き、失われた30年という印象がある。しかし、生活の実感としては、格差拡大はあるものの、不満が爆発して革命が起こるような状況ではない。つまるところ、わが国は成熟時代を迎えたといえるのではないか。成熟時代のエネルギー需要はどうなるのか。

現在の最終エネルギー消費は、石油換算で年間3億トンを少し超える程度で平成元年とほとんど変わらない。平成の最終エネルギー消費は1990年代後半からリーマンショック前まで3.6億トン（石油換算）程度の水準で飽和していたが、その後は東日本大震災を経て現在の水準まで下がった。ただし、電力消費は、2007 年のピーク後に減少してはいるが、この 30 年を通して 4 割近く増加した。これからはどうなるのだろうか。

最近の傾向にとらわれると、電力需要も減少を続けるように感じるが､現実には電化の傾向は顕著である｡これは世界的潮流でもある。ヒートポンプ技術の進展で熱利用の電化傾向が継続し、給湯や調理など生活関連でも電化は実感できる。電動自動車も市場を獲得し運輸部門の電化も進んでいる。電気は利用端では熱以外の排出物は無くクリーンであり、動力や熱、照明など全てのエネルギーサービスを極めて効率的に提供できる。また、高度な制御ができる電気は超スマート社会を支えるエネルギーとして最適である。

ただし、電化が電力系統から供給される電気で賄われる保証はない。蓄電装置を含めた分散型システムで自家消費される電気が増加する可能性がある。センサーやウェアラブル機器など小規模需要には、エネルギーハーベスティング技術（光や振動、温度差などによる発電）が適用されるだろう。電化を含め、エネルギー需要の動向には今後も注目する必要がある。

2）電力システム革命を契機に

2020 年度の送配電事業の分離・中立化は、電力のサプライチェーン全体の事業化という電気事業組織の基本構造を破壊する。この破壊からの創造には、隠れていた「安定供給」の価値の明示化が必要になる。今までの電気料金の中には、単にエネルギーとしての kWh 単位の価値だけではなく、事故や災害時も含めて、電圧や周波数など電気の質を維持する「安定供給」の価値が含まれていた。現在進んでいる電力システム改革では、卸電力市場（kWh）に加えて、容量市場（kW）や需給調整市場（Δ kW）などにより、「安定供給」に係る価値を商品化しようとしている。急速に進展する情報技術を活用して、市場による「安定供給」確保の仕組みを創造しなければならない。

法的分離後の送配電は公益事業として中立性が要求されるが、送電と配電とでは期待されている事業内容がかなり異なる。「広域化する送電」と「分散化する配電」という視点で、電力システムに革命を起こす必要がある。送電には全国大での効率的な公益の追求、配電にはデジタル化を踏まえた新しいビジネス展開の基盤（プラットフォーム）が求められている。

送電の広域化については、調整力も含めて電源の広域メリットオーダー運用をさらに進めるとともに、将来を展望してプッシュ型で広域系統整備計画を定め、系統接続を希望する発電事業者の要請を一括して検討するプロセスを導入する必要がある。また、同時に、系統の整備・運用を効率的に行うために、レベニューキャップ制度など効率化を促すインセンティブ規制の導入が望まれる。

一方、配電を基盤として期待されている新しい電力プラットフォームビジネスに積極的にチャレンジする必要がある。プラットフォームビジネスでは、不特定多数の顧客に様々な製品やサービスが取引される。情報技術の急速な進展によって個人・個社がインターネットで繋がり、プラットフォームは多種多様な莫大な量の取引を柔軟に扱えるようになる。

自家発や電動自動車（EV）など分散する需要側資源活用の前線に

位置する配電は、新しいエネルギービジネス展開のプラットフォームを提供できる。既にアグリゲーションビジネスが展開しており、小売事業者や送配電事業者と取引を行っている。これをプラットフォーム化すれば、小規模な需要家間での電力取引も可能になり、様々な新しいビジネス展開を誘発できるだろう。配電プラットフォームビジネスでは、スマートメータのデータ活用など様々な幅広い応用展開が期待できる。データセキュリティ確保を前提とすれば、データを生活行動や人口動態の把握に使えるし、他のデータと組み合わせて活用すれば防犯や防災等にも役立つだろう。

3）グリーンファイナンスの存在感

地球温暖化対策において金融の存在感が急速に高まってきている。

2006年に国連が責任投資原則（PRI）の下で提唱したESG（環境、社会、企業統治）投資は、人類の持続可能な成長を促進する仕組みとして広く受け入れられている。

ESG投資に関連して、最近では温暖化対策に関する企業情報の開示を求める金融機関の動きが活発になっている。CDP（Carbon Disclosure Project）は、気候変動問題への取り組みや温室効果ガスの排出量の公表を求める国際イニシアティブを進め、主要国の時価総額上位企業に対して毎年質問票を送っており、回答率も年々高くなっている。回答は基本的には公表され、取り組み内容に対するスコアも付されている。2017年には、国際的組織である金融安定理事会が設置したTCFD（気候変動関連財務情報開示タスクフォース）が、気候関連のリスクと機会に関する情報開示を行う企業を支援すること、低炭素社会への移行によって金融市場の安定化を図ることを目的として提言を公表した。わが国でも経産省がTCFDガイダンスを公表し、TCFD提言への積極的対応を進めている。世界的なESG投資は2012年と比べて1000兆円以上増加し、グリーンボンド発行量も50倍に拡大するなど、世界の資金流れが大きく変わりつつある。

発電所への投資やイノベーション創出には金融が大きな役割を果たす。特に自由化が進む電力システム改革の下では金融の重要性が増大する。しかし、急速に増大しているグリーンファイナンスの対象は再エネに集中し、石炭火力に対してはダイベストメント（投資引き揚げ）の傾向が強まっている。信用が基盤の金融では社会の世評（レピュテーション）は無視できない。石炭火力への関与はレピュテーションリスクを招くとの指摘もあるが、現実には多くの途上国にとって石炭火力は重要な電源である。拙速なグリーンファイナンスの展開は、低廉で安定な供給など他のエネルギー政策目標の実現を妨げる恐れがある。

4）エネルギーイノベーションの新潮流

エネルギーのイノベーションというと、シェールガス開発やLED照明、リチウムイオン電池など、エネルギーに関する個別の先端技術が想起される。最近では、カーボンリサイクルという名でCO_2回収・利用（CCU）に注目が集まっている。

CCS（CO_2回収・貯留）では回収されたCO_2は地下に貯留されるだけだが、CCUでは回収したCO_2を利用して収入が期待できる。CO_2を耐久素材に変えて固定すればゼロ排出となるし、燃料に変換して再び燃焼しても、もともと大気に放出されるはずだったCO_2が出るのだからCO_2中立と主張できる。これがビジネスとして成立すれば確かに素晴らしい。

安倍首相は2019年1月のダボス会議で、人工光合成技術などを引用して「今こそCCUを、つまり炭素回収に加え、その活用を考えるときなのです」と述べ、持論の「経済成長と環境の好循環」を実現するイノベーションとしてCCUへの意欲を示した。また、この発言を受ける形で、経済産業省は資源エネルギー庁にカーボンリサイクル室を設置した。CCUでは味気ないが、カーボンリサイクルというと魅力的に響く。

温暖化対策としてのカーボンリサイクルには億トン規模の莫大な量のCO_2利用が必要だが、現状では油田にCO_2を圧入する石油の増進回収（EOR）以外の用途は見当たらない。EOR用にCO_2を利用した場合、石油生産時に一部は大気に戻るが多くは地中にとどまる。カーボンリサイクル技術のイノベーションで新たな用途が開発できるだろうか。

カーボンリサイクル技術については様々な研究開発が進められている。その中でも、水素とCO_2からメタンを合成するメタネーションには期待が高い。ただし、温暖化対策としての利用のためには水素もCO_2フリーで生産しなければならない。CO_2フリー水素の製造にも多くの技術経済的課題があるし、水素を直接利用する場合との比較も行う必要がある。また、カーボンリサイクルが温暖化対策として成立するかどうかの見極めには、経済性評価に加えて、大規模にCO_2利用できるか、利用プロセス全体を通して本当にCO_2削減になるのかなど、総合的なシステム評価が重要になる。

最近の傾向としては、エネルギー環境分野発ではない新種のイノベーションが注目される。例えば、ブロックチェーン（分散型台帳）による蓄電池管理や需要側分散資源の活用、ウーバーなどライドシェア・カーシェアによる車両の利用率向上、これに自動運転を加えた走行燃費の改善など、ビジネスモデルや社会インフラのイノベーションによるエネルギーシステム全体の効率化や低炭素化が注目される。

この傾向は、技術イノベーションに加えて社会イノベーションが重要になっていることを示唆している。政府が第5期科学技術基本計画で超スマート社会（ソサエティ 5.0）の推進を提唱していることも、このトレンドと符合する。

このトレンドを支えるイノベーションは、IoT（モノのインターネット）や AI（人工知能）といった共通基盤技術で、エネルギーに特化したものではない。IoT を活用したシェアリングによって製品の利用率を高め、計測されたビッグデータを AI で解析して必要な部品だけを取り換えて製品を長寿命化すると、モノの生産自体を減らすことにつながる。いわば、モノと情報との代替である。結果としてエネルギーも CO_2 排出も減ることになる。

共通基盤技術によるイノベーションには、性能・機能目標を定めてシーズとニーズをつなぐ従来型の研究開発とは異なるアプローチが必要である。太陽電池や蓄電池にしても、実用化の壁を突破したのは、目的指向の研究開発の結果ではなく、パソコンや液晶テレビなどで急進展した共通基盤技術の横展開だ。このような異分野の開発活動との隣接・交流、最近の表現ではイノベーションのエコシステムが、これからのエネルギーイノベーションでは重要な役割を果たす。一見無関係に見える共通基盤技術も視野に入れたエコシステムを通してエネルギーイノベーションを進める必要がある。

5）俯瞰する視点

以上のように、エネルギー大転換期を迎えて様々な課題が浮かび上がっており、全体を俯瞰し大胆に挑戦しなければ未来は拓けない。俯瞰する視点を確保する上で大切なことは、自分の考え方を相対化することだと考えている。研究者として人生を過ごしてきた私は、客観的な事実や論理的な合理性を重視する。しかし、現実には私を含めて人間の行動には不合理な側面がある。

国家の誕生、革命、戦争など人間社会の歴史を動かしてきた原動力は、宗教や民族主義、民主主義、共産主義など、科学的合理性では説明きれない「虚構」あるいは壮大な「物語」である。科学の客観性に裏付けられた知識により、「虚構」や「物語」が活躍できる領域は狭まっているとは思う。しかし、低線量放射線被ばくリスクによって社会的信頼を失っている原子力、再エネに偏ったグリーンファイナンスの影響力の増大、学校ストライキによって気候危機を訴え熱狂を引き起こした少女の存在などの現実を見ると、科学を超えた想像力の重要性に気づくべきだと考えている。

「サピエンス全史」の中でY. N. ハラリは「共同主観的現実」という概念を提唱している。神話や宗教などの「共同主観的」な想像は、原始的なコミュニティよりはるかに巨大な国家を支える「共同主観的現実」になったというのである。貨幣や法制度も、信用に基づく「共同主観的現実」によって維持されているという。主観は客観に対比されるもので、主観を正当化する科学的根拠はない。したがって、

「共同主観的現実」は科学の立場から言えば、やはり「虚構」である。しかし、人間社会の未来を考えるためには、科学による客観的法則に加えて、「虚構」を共有して発展してきた人間の歴史を踏まえる必要がある。

エネルギー新時代を築くためには、事実や科学法則のように客観的に正しい知識に加えて、人間の想像力に基づく「共同主観的現実」も含めて全体を俯瞰する視点が必要である。

以下、本章に関連する電気新聞の時評「ウェーブ」の小論4篇を添付する。

「物語」を創る力

2016年は様々なサプライズが起きた年だった。中でも、6月の国民投票による英国のEU離脱（Brexit）、7月の東京都知事選挙における小池新知事の誕生、11月の米国大統領選挙におけるトランプ候補の勝利など、政治の世界では一年前には全く想像もできなかったことが起こった。政界では一寸先は闇といわれるが、これほどの事態になるとは思わなかった。何故こんなことが起こるのか？

研究者として人生を過ごしてきた私は、当然ながら、客観的な真実や論理的な合理性を重視する。しかし、現実には、私も含めて、人間の行動判断には非合理な側面がある。自由意志の存在を前提とすれば、そもそも人間の個々の行動は予測不可能である。それでも自分の行動を正当化するために、大きな筋書き、つまり「物語」の中に位置づけて自分自身を納得させる。

「物語」を創る力は、進化の過程で人間が獲得した特異な能力だと思う。政治の世界でのサプライズも、論理より「物語」好きの人間の性向によって説明できるのではないだろうか。

「物語」の源泉の一つは神話である。神話の多くは国家の起源の物語であり、神話を創って共同体の安定化を図ることは多くの国で行われてきた。神話は正当性を証明できないので虚構と言って差し支えないのだが、虚構として否定する積極的な理由もない。あえて言えば、事実による裏付けや論理の合理性を欠くので研究者としては気持ちがよくないが、神話も伝統文化の一つだと思えば、それで大きな不都合はないという程度の受け入れはできる。

また、人間の自由と平等を前提とした民主主義という政治体制についても、前提となる「自由と平等」が真実であるという証明はできない。現実に独裁や王政は今でも存在している。しかし、「自由と平等」が虚構かもしれないからという理由で民主主義を否定しようとは私は思わない。虚構かもしれない民主主義の「物語」を受け入れることのメリットを理解しているからと解釈している。

ここで改めて政治の役割を考えてみる。本来は、客観的な真実に基づいて合理的に判断できる問題の解決には政治はいらない。利害の対立などにより人々の判断が分かれる場合の調整力として政治が必要になる。政治による調整は、まずは実効性を持つための政治権力が必要であり、その政治判断は正当性を持つ規範に基づかねばならない。政治権力の基盤を民主主義に求めることについては安定した支持があると思う。しかし、規範は難しい。規範とは「あるべき姿」のことであり、政治体制の構成員の間で共有される必要がある。法律や倫理、宗教、文化など様々な要因が関係するが、規範は客観的な真実とは異なるという意味では虚構に属する。民主主義の下では、規範も最終的には「民意」が決めるといってよいだろう。

民意は、しかし、移ろいやすい。政治家の力量は、民意を誘導する「物語」を創る力で評価できるのではないか。政治的な論争や判断がパフォーマンスとか劇場型などと表現されるのは、政治プロセスにおける「物語」の役割をよく言い表していると思う。トランプ氏や小池氏の政治家としての力の源泉もここにあると思う。

私は「物語」を創る力は、社会を形成するために人間が獲得した重要な能力だと思っている。聖書などの「物語」は人間の本性に利他性があることを気付かせ、安定な社会の形成に役立ってきた。しかし、一方で「物語」は熱狂を呼び起こし、いわれなき差別を助長し戦争を引き起こすこともある。インターネットが発達した情報社会では分かりやすい「物語」は伝搬が早いので特に注意が必要だ。歴史を振り返り、「物語」の危うさに気づかなければならない。

（電気新聞、時評「ウェーブ」、2016 年 12 月 21 日）

エネルギー・物質・情報

チコちゃんには叱られそうだが、私はボーっとしている時間は大切だと思っている。ボーっとしている時には、仕事から離れて、学生時代から懐いている素朴な難問をトロトロと考えたりする。例えば、生物はなぜ進化するのか？　ダーウィンの進化論で片付いている問題だと思うかもしれないが、進化はエントロピーが減少する現象で、熱力学第 2 法則に反している。この問題については、地球はエネルギー的に開放系で、プリゴジンの言う動的な非平衡定常状態として説明できると考え思考を停止していた。

しかし、ソサエティ 5.0（超スマート社会）によるシェアリングエコノミーなどの考察を通して、進化は情報と物質が関わるもっと複雑な問題だと思うようになった。もちろん、ボーっとした頭で考えたことで学術的な論考ではない。

デジタル技術によってサイバー空間とフィジカル空間が高度に融合した超スマート社会では、事業形態がモノの生産からサービス提供に転換し、モノ（物質）の需要を大きく減少させる。例えば乗用車の時間稼働率は4％と推定されているが、シェアリングでこれを数十％に高めることができる。移動需要が変わらないとすれば、必要な車の台数が大幅に減少する。私はこれを情報による物質の代替ととらえている。

ボーっとした頭で考えたのは、情報と物質との関係は代替だけではなく、情報を保存する物質という関係もあるということだ。生命の情報はDNA（物質）に保存され、コンピュータの情報はメモリ（物質）に保存される。

エネルギー・物質と異なり、情報量は無限で保存則がない。情報は物質の構造に保存されて蓄積・増大する。ダイヤモンドのような奇跡的な結晶構造が自然の中で出現するように、非平衡定常状態としての物質の構造はますます高度な秩序を持つようになる。論理の飛躍だと思うが、これが進化のメカニズムではないのか？

非平衡定常状態によって形成された秩序がDNAという物質に固定され情報として保存される。DNAは開放系の僅かなエネルギー入力によって複製され、遺伝情報が保持された次世代の物質が誕生する。こうして生命が生まれる。その後の進化は、突然変異と適者生存で説明できるのではないか。これは物質の形を借りた情報の成長と解釈できる。

進化に関するするこのような見方は、生命以外にも展開できる。メモリーに保存された情報を人間が活用して新製品を生み出し、市場競争に曝され製品（物質）は進化を遂げる。この進化プロセスを通して情報は知識として高度化され、それが物質構造として保存されることで文明が生まれる。進化を促す仕組みは、情報の価値あるいはそれに基づく製品（物質）の競争的なネットワークである。

情報は物質の構造を超えて、物質と物質との関係性（製品を組み合わせるサプライチェーン）というシステム構造の中にも保存されている。システム構造に保存された情報はシステム間の競争を生み出し、システムはさらに高度化する。これが産業構造の進化である。産業構造の進化は社会システムの進化に連なる。と考えれば、超スマート社会が繋ぐエネルギー・物質・情報の意義が見えてくる。

想像しているだけで裏付けとなる証拠はないが、このようなボーっとした思考は楽しい。

（電気新聞、時評「ウェーブ」、2019 年 6 月 12 日）

「虚構」という現実

地球温暖化や原子力の問題は科学と社会の関係の中で生じており、どう扱えばよいのか悩むことが多い。そんな中、頻繁な京都出張の新幹線の中で読んだ本が一筋の光明を与えてくれたように思う。

Y.N. ハラリの『サピエンス全史』（和訳は 2016 年出版）によれば、ホモ・サピエンスが、個体としては体格的にも、おそらく知能的にも優位だったネアンデルタール人を凌駕した原因は、7 万年前の「認知革命」だとされる。「認知革命」を経て、神話などの「共同主観的」な想像（虚構）の世界で生きることが可能となり、大きな集団の協調が実現し、他の大型哺乳類を圧倒したという。

神話や宗教などの「共同主観的」な想像は、原始的なコミュニティよりはるかに巨大な国家を支える「共同主観的現実」となった。つまり、人間世界では「虚構」も現実になるのである。

貨幣や法制度も、信用に基づく「共同主観的現実」によって維持されている。そして、「認知革命」以来の人間の発展を支えている共通の虚構は「人間至上主義」だとハラリは言う。

しかし、虚構は柔軟に変化できる。「人間至上主義」も、個人を重視する自由主義、集団を重視する平等主義など様々な形態をとる。そして、近年の科学革命は想像を超えて人間の能力を拡張しており、「超人」という新しい人種を生み出す可能性があるとハラリは言う。未来がどうなるかはともかく、現在の人間社会の問題を分析・評価するためにも、「共同主観的現実」という概念は役立つ。

人間社会の問題を理解するには、現代科学による客観的法則に加えて、「虚構」を共有して発展してきた人間の歴史を踏まえる必要がある。人文・社会科学、特に経済学では、物理学に倣って、効用最大化など人間行動の基本的原理（仮説）から演繹的に社会現象を分析する方法論が主に採用されているが、人間や社会の行動はこのアプローチでは捉えきれないように思う。様々な「虚構」が共同主観的現実となる人間社会は、物理学のように客観的な法則に基づいて理解することはできない。

国家の誕生、革命、戦争など人間社会の歴史を動かしてきた原動力は、宗教や民族主義、民主主義、共産主義など、科学的合理性では説明しきれない「虚構」に基づいている。科学の客観性に裏付けられた知識により、「虚構」が活躍できる領域は狭まってきているとは思うが、一方ではインターネットが導いた情報社会の中でフェイクニュース（似非情報）が蔓延している。「虚構」が共同主観的現実として人間社会を進化させた歴史を踏まえれば、科学的に正確でないという点だけに着目してフェイクニュースを軽視することは極めて危険である。

エネルギー・環境の世界でも、原子力利用や地球温暖化のリスク認知には、客観的な科学的知識と共同主観的現実が深く絡み合って解決の難しい状況が生まれている。最近特に懸念を感じるのは、福島原子力事故に伴う低線量被曝リスク認知の混迷、再エネに偏ったグリーンファイナンスの影響力増大、スウェーデンの少女グレタによる気候危機を訴える学校ストライキなど、明らかに善意に基づいているが、バランスを欠いて極端に向かう社会現象である。

原子力安全への国民的不安も地球温暖化対策への社会的熱狂も「共同主観的現実」として受け止めて真剣に対応すべきだろう。

（電気新聞、時評「ウェーブ」、2019 年 9 月 26 日）

新時代の夜明け

2020 年は令和 2 年。2 月生まれの私は今年で 70 歳の古希。勤務する RITE（地球環境産業技術研究機構）は今年で設立 30 周年。新型コロナ騒ぎで不安だが、なんとなく区切りの年という感じだ。

ところで、火の発見から始まる人類のエネルギー史を振り返ると、大きな区切りは、18 世紀の蒸気機関による動力革命と 19 世紀末の電気利用の始まりである。

動力革命は、それ以前には暖房や調理にしか使われていなかった熱を動力に変えて利用することを可能とした。熱は出力規模を簡単に大きくできる。動力革命以前には、動力源は水車や馬による高々数 kW の規模だったが、蒸気機関やそれに続く内燃機関は単位出力を数万倍以上に高めた。この動力源の単位出力の増大は人類の活動規模と範囲を大幅に拡大した。

一方、エジソンの電気事業の発明によって、大規模発電所の電力を分散する小規模な需要に効率よく供給することが可能となった。電気利用は照明から始まり多種多様な家電機器の発明を促した。電動モーターは小型でも大型でも高効率で制御が容易で、鉄道やエレベーターなど業務・産業部門でも利用が進んだ。さらに電気化学など電気利用による新しい工業分野が展開した。今では人類が利用する一次エネルギーの 4 割近くは電気に変換して利用されている。

大規模発電所は動力革命の成果であり、電気事業はその分散的利用を可能にした。一方、電気利用開始と同時期に発明された内燃機関は小型でも効率よく、自動車を中心にして移動する分散型動力源として大量に普及した。20 世紀のエネルギー利用は電気と自動車用石油製品の時代だったと言えるが、生活を支えるエネルギー利用の汎用性では電気が自動車に勝る。

さて、私が今が時代の区切りだと思う根本的な理由は、動力革命と電気利用との結びつきが終わりを迎えているように感じるからである。太陽光発電や風力発電は熱を電力に変換するものではない。つまり、動力革命とは無縁である。これら自然変動再エネ発電は、分散型電源として経済競争力を持ち始めている。ならば、分散型の電気利用を支える電気事業の形態も変わらざるを得ない。

さらに大きな時代変化の原動力は情報技術である。太陽光発電や風力発電のような自然変動電源は、揚水発電や蓄電池など電力貯蔵設備がないと、瞬時に需給バランスを取る必要がある電力システムでは大規模には活用できない。これは需要を所与として供給を調整してきた従来の電力システムではその通りであるが、瞬時に需要が調整できれば状況は変わる。

情報技術の進歩の経験則に、1.5年で性能が倍増するというムーアの法則がある。実際、15年で1000倍、30年で100万倍の速度で、情報処理の速度向上やメモリのサイズ縮小が実現している。この情報技術の進展、更にはそれを活用するAI（人工知能）やブロックチェーン（分散型台帳）などのソフト技術の急速な普及を考慮すれば、需要の調整（DR、デマンドレスポンス）によって電力の需給バランスを瞬時に実現することも可能である。さらには、電気だけでなくガスや熱などエネルギーサービスの提供を含め、より広い社会インフラとしての事業展開も展望できる。

動力革命から300年、電気利用から150年を経る今世紀半ばまでには、エネルギーシステムの姿は一変するだろう。今はエネルギー新時代の夜明けである。

（電気新聞、時評「ウェーブ」、2020年4月7日）

8. 備忘録

最後に、今まで書いてきた原稿に収めきれなかった電気新聞の時評「ウェーブ」の小論13編を備忘録として添付する。旅の印象などの個人的な随想だが、興味が湧けば読んでいただきたい。

専門家の限界と節度

研究者としての専門分野を問われると、最近はエネルギーシステム工学と答えている。研究の対象はエネルギー問題、手法はシステム工学なので適切な答えだと思うが、これだけでは具体的なイメージがわかない。少し詳しく話せる時には、数理的な解析モデルを開発してエネルギーに関する技術や政策の評価をしているなどと解説するが、これでも、よくわかって頂けているとは思っていない。

エネルギー分野の研究者の中には、専門家としての活動は材料開発など特定分野の研究に限定されるが、エネルギー問題一般にも関心があり、学識者としてエネルギー政策について大胆な発言をする人もいる。研究者らしくよく勉強しているので、たまには傾聴に値する意見もあるが、残念ながら多くの場合は素人の議論とほとんど変わらない。何故こんなことが起きるのだろうか。

研究者は、研究会での発表や論文を通して同じ分野の専門家と議論を闘わし、関係する学術分野の同業者から専門家として認められる必要がある。これは研究者として最低限の条件である。同業者から専門家と認められても専門分野が異なれば素人。異分野の専門家の議論に参加する時には研究者としての節度が必要である。私は、科学の専門家としての発言には、事実と論理による裏付け、つまり証拠が必要だと思っている。

応用分野を含め自然科学の領域では、観測された様々な事実の蓄積に基づいて分野を横断した共通の論理体系が構築されている。自然科学分野の論理体系は基本構造が強固で安定していて、非専門家には参入障壁が高い。

エネルギー問題でも自然科学の知識に関する範囲では、少なくとも専門家の間では、深刻な対立は起こらない。議論が混乱するのは、科学的知識に不確実性がある状況の下での、エネルギーと社会との係りに関する部分である。社会に係る科学の領域では、人間の行動原理に関する仮説など基本的な論理体系も分野によって分断されている。結果として非専門家の主張も含めて諸説が乱立する。

最近の典型的なエネルギー問題として、原子力依存度に関する論争がある。民主党政権時代の2012年夏に行われた国民的議論では、原子力依存度の異なる3つの選択肢を示して、2030年に向けたエネルギー政策の選択が問われたが、いきなり国民に原子力依存度の選択を問う問題設定はあまりにも乱暴である。まずは、エネルギー政策の基本方針について、専門家を活用して情報を整理して示す必要がある。

わが国のエネルギー政策の基本方針については、安全確保の下で、安定供給、経済効率、環境適合をバランスよく実現するS+3Eが広範な合意を得ている。専門家の役割は、国民に提示するエネルギー政策の選択肢について、S+3Eの視点から評価することである。政府の役割は専門家の知見を踏まえて選択肢を整理することであり、民主主義のプロセスを経て最終的に政策を選択するのは国民である。

エネルギーの専門家といえども国民に代わって政策の選択をすることはできない。そもそも、エネルギー問題は自然科学や工学、社会科学が関係する複合問題であり、エネルギー問題を総合的に扱う学術分野は確立していない。

基本方針に合意があるとはいえ、安全性や3つのEに対する重点の置き方はそれぞれの人で異なる。この点を考慮すれば、エネルギー政策は、合意可能な範囲内で常により良いものを求めるべきではあるが、すべての人が満足する解は存在しない。エネルギーシステム工学の研究者としての私ができることは、事実を正確に踏まえ、S+3Eという基準に対して提案された政策がどのように評価されるかを論理の透明性を持って示すことである。

（電気新聞、時評「ウェーブ」、2015年8月25日）

ニホニウムに思う

初めて日本人による新元素発見が認められた。理化学研究所のチームが発見した113番元素がニホニウムと命名され、元素記号はNhとなることが事実上決まった。明治時代にも小川正孝による幻のニッポニウム（43番元素とされた）の発見があったが、これは他の元素（75番元素レニウム）であることが分かり取り消された。43番元素はテクネチウム、天然には存在しない元素で、後に加速器によって人工的に生成された。実は小川は新元素を発見していたのだが、原子量の測定に誤りがあって元素番号を間違えたのだ。実に残念だが、明治時代の日本人の科学的能力の高さを示す逸話である。

幼いころから理科好きの私は元素の周期表に今も愛着がある。20番のカルシウムまでは今でも頭に入っているが、一時は100番のフェルミウムまで全て憶えていた。周期表を憶えるために「水兵リーベ僕の船……」というような語呂合わせがよく使われるが、年齢を重ねると忘れてしまう。一方、全体はカバーできないが、各元素の性質による近接性で憶えたものは記憶によく残っている。

例えば、水銀は80番元素として記憶しているが、真上にはカドミウム、右隣り（81番）はタリウム、さらに右には鉛、ビスマス、ポロニウムと続く。これらはいずれも人体に有害な毒元素である。水銀が並ぶのは周期表の6行目。放射性でない安定同位体があるのは、この行の82番元素の鉛までである（43番元素のように抜けもある）。なお、放射性でも半減期が億年オーダーの核種は残存しており、92番元素のウランまでは天然に存在する。また、半減期の短い核種も、寿命の長い核種の子孫にあたる核種は天然に存在している。

ところで水銀の左隣は金、さらに左はプラチナと貴金属が並ぶ。金の一行上は銀、その上は銅と、金銀銅のメダルが下から順に整列している。この辺りの遷移金属領域は憶えにくいところで、今はほとんど忘れている。原子核の結合エネルギーが最も大きい、クロム、マンガン、鉄、コバルトの4元素が、4行目（遷移金属の1行目）の中央付近に並んでいるという微かな記憶がある程度。

周期表は元素の化学的性質によって整理されていたので化学者が活躍する分野だったが、20世紀になって原子の内部構造が解明されるようになってからは物理学と融合してきた。物質の化学的性質は電子の振舞いで決まるが、原子や分子の中の電子の振舞いは量子力学によって説明される。各元素は原子核中の陽子と同数の電子を保有するが、電子は、量子力学の法則によって、エネルギー準位の低い順番で離散的な軌道に配置され、元素の化学的性質を決める。キュリー夫人はノーベル賞を2回受賞しているが、1回目は放射能の研究で物理学賞、2回目はラジウムとポロニウムの発見で化学賞となっている。今や物理と化学の境界は不明確だ。

92番のウランの先の元素は、超ウラン元素と呼ばれ、すべて人工的に生成されたものだ。よく知られているプルトニウムは94番で、これを発見したシーボーグは、93番のネプツニウムを発見したマクミランとともに、超ウラン元素の発見によって1951年のノーベル化学賞を受賞している。彼らの受賞の後は、新元素発見によるノーベル賞受賞はない。なお、周期表を考案したメンデレーエフは、ノーベル賞は惜しいところで逃しているが、101番元素メンデレビウムにその名を残している。

歴史を振り返ると、プルトニウムなどの超ウラン元素の発見は核兵器開発と強く結びついている。今回のニホニウムの発見は、それだけではノーベル賞受賞には至らないと思う。しかし、平和国家日本における、役に立つ見込みのない純粋科学研究の成果として、今回の業績を素直に喜びたい。

（電気新聞、時評「ウェーブ」、2016年6月21日）

ミャンマーの印象

年末年始の休暇を利用してミャンマー観光をした。かつてはビルマと呼ばれていたが、1989年に国名をミャンマーと変えた。現地で聞いたところでは、国名はもともとミャンマーだったが、国民の約7割を占めるビルマ族は通称としてビルマを国名としていたという。なお、ミャンマーは多民族国家で正式名はミャンマー連邦共和国である。また、首都はラングーンと呼ばれていたが、これは英国植民地時代に通訳が現地人のヤンゴンという発音を聞き違えたことによるとのこと。なお、ヤンゴンは今でもミャンマー最大の都市だが、首都は2006年にヤンゴン北方のネピドーに移動している。

さて、ミャンマー観光の中心は仏教寺院とパゴダである。パゴダとは仏塔のことで、わが国の五重塔と同様に仏舎利を安置する所。パゴダは寺院とは違って中には入れない構造になっているが、周りに八曜日の神様が祀られていて、自分の誕生曜日の神様にお祈りをささげる。八曜日とは、水曜日を午前と午後に分けて残りの六曜日に加えたもので、それぞれに担当の神様とその乗り物が決まっており方角も定められている。多分もっともよく知られているパゴダは、ヤンゴンにある高さ約100メートルのシュエダゴンだろう。パゴダの名前の先頭にはシュエが付けられていることが多いが、シュエは黄金を意味する。また、ダゴンはヤンゴンの古い名前である。

ミャンマー観光の圧巻は、アンコールワット、ボロブドールとともに世界三大仏教遺跡と呼ばれているバガンの仏教遺跡群である。バガンはミャンマーの最初の統一王朝の首都で、わが国の平安時代後期から鎌倉時代に相当する時期に繁栄したが、モンゴル人の侵入によって崩壊した。ミャンマーの母なる大河イラワジ川の中流域にあり、多くの寺院やパゴダが集積している。

ミャンマーの寺院やパゴダに入る時には、履物はもちろん靴下も脱いで裸足にならねばならない。熱帯地域なので冬でも気温はさほど寒くはないが、小石などを踏むと痛い。足元に注意して歩いていたが、慣れてくると足裏マッサージを受けているようで心地よい。大晦日の早朝には朝日を拝むために、シュエサンドー・パゴダの急な階段を裸足で中段付近まで登ったが、薄明りの中から浮かび上がってくる寺院群の光景はとても印象的だった。

元旦の早朝にはバガンからマンダレーに移動した。マンダレーはヤンゴンに次ぐミャンマー第2の都市。1885年に英国の植民地になるまで独立を保ったコンバウン王朝の最後の首都である。第2次世界大戦中には日本軍が王宮跡に兵站部を置き、激戦の地となった所でもある。マンダレーも、バガンから少し上流のイラワジ川流域にある。マンダレーでも寺院やパゴダに行ったが、金ぴかの仏像や電飾の光背には馴染めなかった。

コンバウン王朝の首都はマンダレー近郊で何度か移動しているが、その一つにアマラプラがあり、そこの大きな僧院で朝食風景を見学した。千人くらいの僧たちが托鉢を手に、静かに整列して裸足で食事場に向かう。小学生くらいに見える子供も多い。大勢の観光客が取り囲んで写真を撮ったりしているが、僧たちは黙って前を見つめて真剣な表情を崩さない。

ミャンマーの仏教は、わが国のような冠婚葬祭用ではない。ミャンマーの仏教徒の男性は必ず一度は僧侶になって修行しなければならない。修行中は朝から托鉢に出かけ、正午以前に食事を済ませるという戒律を守らねばならない。一方、人々は修行僧を尊敬し、すすんで托鉢に寄進する。ミャンマーには軍事政権時代の暗いイメージがあり、現実にも経済的には貧しく社会基盤も十分ではない。しかし、人々の心は優しい。仏教が国を支えているように思えた。

（電気新聞、時評「ウェーブ」、2017年2月4日）

国際会議あれこれ

この原稿は、エネルギー関係の表彰の選考会議に出席するために出張しているモスクワで書いている。2年前に選考会議の委員になり、今回で3年連続のモスクワ出張である。その前にモスクワに来たのは20年以上前、世界エネルギー会議(WEC)東京大会開催に関連した出張だった。当時はソ連崩壊後間もない頃で、とても暗い印象だったが、街の雰囲気は全く様変わりしている。

同じ用件で連続して国際会議に参加した経験はいくつかあるが、思い出が深いのは、国際核燃料サイクル評価会議(INFCE)と気候変動政府間パネル(IPCC)である。特に米国カーター大統領の再処理無期延期を契機として行われたINFCEは、1977年に大学院を修了して電中研に就職したばかりの私にとって最初の国際会議への出張だったこともあり、特に印象に残っている。

INFCEの会議の多くは国際原子力機関(IAEA)があるウィーンで開催されたが、当時のIAEA事務局の建物は現在のドナウ川の対岸ではなく、旧市街のリンク通りに面していた。当時私は20歳代後半で、若気の至りで訳もわからず、恥ずかしい経験を重ねたが、国際会議とは何かを知るためはとても貴重な機会だった。

例えば、ウラン濃縮に関する委員会に出席したときには、某国の代表がSWU(分離作業単位)とは何かと質問するのに驚かされた。SWUは濃縮工場の能力を表す基本的な単位なので、学術的な国際会議ではありえない質問だ。原子力工学の試験だったら確実に不可になる。しかし、様々な背景を持つ専門家が集まる国際会議では、このような基本事項に関する質問も意義がある。エネルギーのような学際的分野での国際会議では基本事項の認識の共有も重要である。

各国を代表する参加者が集まる国際会議では、議論の文脈とほとんど関係ない演説を聞かされる場面もよくある。議論をまとめる立場には大変迷惑だが、相手の身になれば、記録に残すこと自体に意味があることは理解できなくもない。国益を背負った交渉のような厳しい役目を務めたことは無いので想像するほかないが、科学技術の専門家という自覚だけで国際会議に出たのでは、議論の意味が理解できないことを学んだ。

IAEAには1980年代にも、使用済燃料貯蔵の報告書作成や中小型原子炉の評価などの会議出席のためにたびたび出張したが、90年代に入ると、IAEAへの出張は少なくなった。ただし、入れ替わるように、ウィーン郊外にある国際応用システム分析研究所（IIASA）への出張が増えた。IIASAと電中研との間で、地球温暖化対策の研究交流を行うことになり、これに関連した国際会議に何度も参加したからである。さらに99年からはIIASAの理事を10年余り続けたので、年２回の理事会出席のためのウィーン出張が続き、ウィーンは私が最も頻繁に出張した海外都市になった。

IIASA理事会では副議長を務めていたが、2000年に研究所長が突如辞任し、理事会議長が所長代行となり、私が理事会の議長代行を務めるというハプニングが起こった。副議長は形式的なもので気楽に務めていたのだが、議長代行となると責任は重い。結局、次期所長の選任を含めて３年間議長代行を務めた。所長選考プロセスではノーベル賞受賞者を含めて多数の候補者と面接した。任期中にはIIASA創立30周年の行事もあり、下手な英語を使った冷や汗の出る場面の連続だったが、今となっては良い思い出である。

同じ国際会議に連続して出席すると、だんだん気心が知れてくる。IIASAの会議で知り合った外国の研究者たちとの交流はIPCCで大変役に立った。無口で素朴で頑固なロシア人にはまだ慣れないが、今回も頑張ろうと思う。

（電気新聞、時評「ウェーブ」、2017年4月14日）

東京地下道散歩

最近、東京の勤務地近くの旧長銀本店跡地に新しいビルが完成し、霞ケ関駅と内幸町駅が地下道でつながった。内幸町の地下道をあと150メートルほど東に延伸すれば新橋駅、300メートルほど北に延びれば日比谷駅につながる。散歩好きの私は、雨や猛暑・極寒の時には地下道を歩くことがよくあるので、このような延伸ができれば大歓迎だ。大手町ビルの電力中央研究所に勤めていた頃から、東京駅周辺には地下道がよく発達していて、大手町から東京駅や日比谷駅まで行く地下通路はよく利用していた。当時の通路は駅をつなぐだけで味気なかったが、最近は、ビルの地下を活用した地下道のネットワーク化が進んでいる。

ビルの地下には飲食店などがあり、空調もよく効いていて快適だ。大手町ビルの周辺地域は最近特に変貌が著しく、新しいビルの地下が縦横に連結されていて、まるで働きアリの巣のようである。この前、新しい地下ルートで東京駅から日本経済新聞東京本社まで歩いた時、大手町温泉を見つけた。以前利用していた東京駅八重洲口地下の東京温泉が休業しているので、そのうち立ち寄ってみたい。

地下道を歩いていると巨大な空間に出会うこともある。通勤に千代田線を利用しているが、東京駅に行くときには二重橋前駅で降りて地下道を歩くことが多い。この地下道は行幸地下道と呼ばれ、道幅が非常に広くて快適だ。行幸ギャラリーと称して写真展が行われていたり、金曜日には産直の新鮮食品が買える丸の内行幸マルシェが開かれている。数年前の夏、始発の新幹線で京都へ出張する際、朝早くてこの地下道がまだ開いていなかったので地上へ出て、ハンカチで汗をふきふき歩いていたら、NHKの朝のニュースのカメラに撮られて、酷暑の中を早朝より働く同情すべきサラリーマンとして放映されたこともある。

東京駅から東京国際フォーラムへも地下道で行ける。国際フォーラムの地下空間が大きいのはその機能からして当然だが、大深度地下開発が行われた手前の京葉線東京駅改札口周辺も天井の高い大きな空間で、開放感がある。最近、この地下空間から八重洲地下街へ抜けるルートも発見した。

国際フォーラムから有楽町駅へも地下道でいけるが、少し南側を通る日比谷駅から東銀座駅へ向かう地下通路とは直結されていない。西に向かって都営地下鉄日比谷駅前の通路や、東に向かってJR有楽町駅東側の交通会館の地下を経由すれば行けるが、大回りになる。国際フォーラムと地下でつながっている家電量販店のビルと有楽町電気ビルの間の100メートル足らずをつないでくれればこの問題は解決する。

ところで、雨や直射日光を避けられる通路として、地下道の外にも鉄道のガード下がある。地下道と比較すると快適さは格段に落ちるが、歩いてみるとそれなりに面白い。時々利用するのは、新橋駅と有楽町駅の間のJR線ガード下の細い通路である。手入れは十分とは言えず、隘路の両側には飲食店や駐車場が無秩序に並んでいる。権利関係など複雑な事情があるのだろうが、都会の中心にあるこの空間を整備すれば便利で楽しい街並みができるのではと思う。

東京の地理に不案内な方には距離感がつかめないかもしれないが、東京駅周辺の地下道の延長距離は相当に長い。同じ経路を往復しなくても、東京駅付近でネットワークを構成している地下道だけで1万歩以上歩けることは私が実証済みである。

散歩と言えば、「哲学の道」のように自然豊かな環境の中で思索にふけるという印象があるが、地下道のような都会の人工空間の散歩もなかなか楽しい。思索というほど高級でなくても、気分転換には十分効果がある。

（電気新聞、時評「ウェーブ」、2017年7月10日）

琵琶湖疎水上流

琵琶湖疎水については、本欄で7年前、地球環境産業技術研究機構(RITE)に着任した年の秋に、蹴上から伏見までの下流域を紹介したが、今回は琵琶湖から蹴上までの上流について述べたい。

2017年11月の休日、疎水上流部の散策と紅葉見物を兼ねて、琵琶湖湖畔の三保ヶ崎の取水口から疎水沿いに下った。今回歩いた箇所は田辺朔郎が指揮・建設した琵琶湖第一疎水の第1期部分だが、着工は1885年、竣工は1890年、田辺朔郎が24歳から29歳の時である。この偉業の成果は127年後の今も人々の役に立っている。

第一疎水の始点のすぐ側に第二疎水の取水口もあるが、こちらは直ぐトンネルに入って蹴上の合流地点まで地上から見えない。第一疎水にもトンネルがあるが、完成当初のトンネルは3つ、蹴上までの距離の半分以上は地上に出ていて水辺の景色が楽しめる。なお、後の湖西線の鉄道敷設に伴い、第一トンネルと第二トンネルの間に諸羽トンネルが建設されている。

第一疎水完成時の3つのトンネルの入口と出口には、それぞれ明治の元勲による扁額が掲げられている。上流から順に、伊藤博文、山県有朋、井上馨、西郷従道、松方正義、三条実美である。第一トンネル入口の伊藤博文の扁額は「気象万千」。傍には、様々に変化する風光は素晴らしいという意味だとの解説を添えた案内板がある。この6つ以外にも疏水にはいくつかの扁額がある。

今回の散歩では、蹴上で二つの疏水が合流するトンネルの出口(蹴上発電所への水圧鉄管に繋がる部分)に田辺朔郎の扁額を発見した。曰く、「籍水利資人工」。自然の水の力を人間の仕事に役立てるとの意味だそうだが、人物・場所共に誠にふさわしい内容と納得した。元勲たちに並ぶ若き工学者の扁額を見ると心が熱くなる。

疏水沿いには桜やモミジが植えられていて四季折々に楽しめる。取水口から第一トンネル入口までは桜で今の季節は少し寂しいが、第一トンネル出口にはモミジ林が両岸にあり、素晴らしい紅葉を堪能できた。ただし、歩道が整備されておらず、車に注意しながらの鑑賞で落ち着けないのが少し残念。なお、第一トンネル出口までの道筋には小関越えという峠があり、気楽な散歩としてはややきつい。峠を越えると急な下りになり、途中で大きな竪坑が見える。2.4キロメートルほどの第一トンネルは完成当時日本最長で、竪坑を掘って掘削を加速したとのことだが、ここでは工事の犠牲者も出た。

第一トンネルから第二トンネルまではかなり距離があり、途中で山科駅から毘沙門堂への参道とクロスする。紅葉で有名な毘沙門堂の参道はさすがに混雑していた。参道から少し下流に安祥寺川と立体交差する部分がある。南禅寺の水路閣ほどはっきり見えないが、疏水が水道橋の上を流れている。

この辺りで突然、遡上する船と出会った。確かに琵琶湖疏水の当初の大きな役割は水運だったが、戦後まもなく交通路としての役割は終えていたはずである。後で聞いてみると、観光目的に船の運航を復活する動きがあり、この日はたまたま試運転していたらしい。試運転といってもかなりの客が乗っていた。乗船希望者が多くて抽選になるらしいが、いつか乗ってみたい。

小春日和に2万歩を超える琵琶湖疎水上流の充実した散策を通して、今に生きる明治時代の技術の偉大さを痛感した。

(電気新聞、時評「ウェーブ」、2017年12月11日)

『油断!』再読

久しぶりに本屋をぶらついていたら、堺屋太一著作集が目に留まった。第1巻には『油断!』と『団塊の世代』が収録されている。いずれも第一次石油危機直後に出版されたもので、我々の世代には大変懐かしい。つい衝動買いしてしまった。

両著作共に予測小説の草分けである。実は、昨年選考に係った電気新聞創刊110周年記念論文のテーマ「110年後の世界史-エネルギー・環境の視点から」を聞いた時、この両著作を思い出し、また読んでみたいと考えていた。今回ほぼ40年ぶりに再読して、いずれもすごい洞察力だと改めて感銘を受けたが、ここでは『油断!』の印象を述べたい。

『油断!』の原型は第一次石油危機の前に書かれている。著者は当時、通商産業省(現在の経済産業省)の現役官僚で、実際に行われたシミュレーションに基づいて小説を書きあげた。著者解説によれば、原稿が仕上がったタイミングで石油危機が発生したが、今出版すれば世の中の混乱を助長すると考え原稿を回収したという。危機の収束後に出版された本書では、再びより大きな規模の中東戦争が発生し、ホルムズ海峡が約200日にわたって封鎖され、わが国が壊滅的打撃を受ける様子がリアルに描かれている。

わが国の一次エネルギー供給に占める輸入石油依存度は、当時の8割近い水準から5割程度に減少した。石油備蓄も50日以下の民間備蓄に頼っていた当時と比べると、現在では国家備蓄だけで120日レベルになり、民間備蓄等も加えれば200日を超えている。しかし、中東情勢の不安定性は変わりなく、石油に代わり比重を増してきた液化天然ガス(LNG)の備蓄は20日程度と頼りない。小説では、停電だけでなく、ガス供給の計画停止に伴う火災等の大きな被害が生々しく描かれている。『油断！』の警鐘は今も有効だ。

再読して新たに印象に残った点は、わが国の社会に特有の脆弱性を著者がドラマティックかつ具体的に描いていることである。

一つはエネルギー供給と食糧確保との密接な関係である。石油供給遮断後に石油の割り当てが行われるのは当然だが、小説では、あまり間を置かずに食料も配給制になる。戦後の食料不足の記憶がまだ残っていた当時でも、これが大きな混乱を招く。米と石油の物々交換も行われるようになり、いびつな闇経済が形成される。この辺りの描写のリアルさに学生だった40年前は気が付かなかった。

もう一つは移ろいやすい世論とそれに翻弄される政治である。石油供給が途絶える前を描いた導入部分では、石油の海底備蓄(現在は洋上備蓄として実現)への取り組みが描かれているが、公害問題に詳しい議員が執拗に反対し、実現しないままで供給遮断を迎える。事後になると、同じ議員が政府の石油危機への対応不備を糾弾するが、備蓄に反対した過去を問われて意気消沈する。著者はこの議員が「時代によって正邪は変わる」、「日本の世論は極端から極端に変わる」と独白する場面を描く。エネルギー政策の基本方針を貫くことの難しさがよく分かる。

リスク対応としては東日本大震災後の混乱を思い出させる部分も多い。特有の脆弱性の下で、わが国のエネルギー政策のあるべき姿を考える際に『油断！』が参考になることは確かである。初めての方はもちろん、一度読んだ方にも再読をお勧めしたい。

（電気新聞、時評「ウェーブ」、2018年2月5日）

イースター島

夏季休暇を利用してイースター島へ行った。チリから3800キロ、タヒチから4000キロ、最も近くの人の住む島まで2000キロという絶海の孤島である。今回はタヒチ経由で行ったが、飛行時間は合計17時間、日付変更線を超えるので成田空港を午前に出発すればその日の夕方には着ける。南回帰線の少し南側に位置しており平均気温は20℃程度、今の季節は東京よりはるかに快適だ。

イースター島と言えばモアイ像だが、製作中のものも含めれば1000体ほどあるという。ただし、モアイ倒し戦争と呼ばれる島内の内紛と18世紀からの西欧人の入島に伴い、明治維新の頃までにはすべて倒された。20世紀になって、わが国を含めた支援により、いくつかのモアイ像は復元・修復され重要な観光資源になっている。

モアイ像は島内の各集落の守護神として、アフと呼ばれる台状の墳墓の上に海を背にして村に向かって建てられるのが通常である。素材は火山の名残の凝灰岩、赤い凝灰岩で作られたプカオと呼ばれる王冠のようなもの（髪型とのことだが）を被ったものもある。小豆島くらいの小さな絶海の孤島に、こんなに多数の巨石遺跡が残っているのは確かに不思議だ。復元されたモアイは10メートル足らずのものだが、製造現場には20メートルに達するものもある。黒曜石の斧で切り出されたことは確かだが、数トンもある重いモアイをどうやって運んで立てたのか、好奇心がそそられる。

現在の島の人口は7000人くらい。モアイ建造の最盛期（西暦1000年頃）には2万人ほどだったと推定されている。オランダ人が島を発見してイースター島と名付けた頃（1722年）には、既にモアイ倒しの内紛が始まっていて、森林破壊も進んでいたらしい。19世紀後半に大量の島民が奴隷として連れ去られ、独自文字のロンゴ・ロンゴを読める者は残っていない。その後戻った者もいたが、伝染病と欧米人の迫害で島民は一時100人程度まで減少したという。

イースター島の文明はモアイ建造（製作・輸送を含む）に大量の木材を使用したため環境破壊によって滅んだという説があるが、島内戦争や西欧人の侵入などの複合要因が働いたと思われる。もっとも、内紛の原因は、森林破壊によって土地がやせ農作物の収穫が減少して人口を支えきれなくなったためと思われるので、根源は環境破壊と考えてもよいだろう。

イースター島は現在はチリ領で、ヘイエルダールがコンティキ号で南米からポリネシアへの航海に成功したことが有名なので、島民はインカの末裔かと思っていたが、最近のDNA解析の結果では東南アジアからから移動してきた民族だということが明らかになっている。謎の歴史に興味がそそられるが、スペースシャトルの緊急着陸用に作られた3600メートルもの滑走路を持つ空港や快適なホテルなど近代的なモノもある。

帰路の途中では、タヒチのボラボラ島で本当の休暇を楽しんだ。絵に描いたようなリゾート地で、中央に高い岩山がある本島の周囲にラグーンが広がっており、水上コテージに泊まり数十年ぶりに海で泳いだ。しかし、ここにも遺跡があった。1942年に前年の真珠湾攻撃を受けて米軍が急遽作った陣地跡である。この時の滑走路が今の空港の原型になって観光に役立っている。

戦争と平和を感じる有意義で楽しい夏季休暇だった。

（電気新聞、時評「ウェーブ」、2018年9月7日）

中学校のエネルギー教育

日本学術会議が9月にエネルギー教育に関する学術フォーラムを開催した。学校や社会での教育事例を中心に先生方から講演があり、その後のパネル討論では私がファシリテーターを務めた。特に、通常は接することの少ない中学校の教員から生々しい事例を聞いて考えさせられる点が多々あった。

エネルギー問題は広範囲の学術に係る大変複雑な問題であり、総合的な理解が必要である。しかし、現場の先生方からは、「総合的な学習の時間」はあるが、教師が多忙なこと、生徒の基礎力の育成がまず必要等の理由で、学校教育の中でエネルギー問題の総合性を取り扱っていくことは困難との声が聞かれた。また、エネルギー問題は入試に出ないので関心が低いとの発言もあった。

そもそも科学はそれぞれの分野に分類されて展開してきた。客観性や論理的な推論、実験による実証などを重視する学問的な態度は自然科学の成立の中で生まれたが、科学の分野は自然科学だけではない。学校教育においても様々な科目が定められ、それぞれの分野に分けて教育が行われている。エネルギーという概念は自然科学の中で生まれたものだが、中学校でのエネルギー教育は自然科学を扱う「理科」だけでなく「社会」や「技術」でも取り上げられている。先生方は、それぞれの科目を担当される中でエネルギー問題の総合性を扱う努力をされているが、科目の間の壁は高そうだ。

エネルギー教育における総合性の扱いをめぐるパネル討論を通して私が感じたことは、初等中等教育における技術の希薄感である。科目としての「技術」はあるが、自然科学の社会的応用としての技術、つまり「工学」のイメージは乏しい。科学の成果を社会に応用する役目を担っているのが技術であり、それを学術領域として担当しているのが工学である。エネルギー教育に留まらず、技術と社会の関係を総合的に考える能力の育成のためにも、初期教育において「工学」を教えることには意義があると思う。

エネルギー教育の目的としては、正しい知識の習得とともに、自分で考える能力の育成も重要である。パネル討論では、そもそも正しい知識とは何かを問うことが重要で、まずは問題にかかわる情報や知識を習得した上で、それを更新していく態度を養成する必要があるとの発言が出た。原子力安全問題をはじめ、将来のエネルギー選択、地球温暖化対策など、社会的に見解が一致しないエネルギー問題には普遍的な唯一の解はない。自然科学の法則や歴史的な事実のように客観的で正確な知識を育成した上で、それだけでは答えが出せない問題があることを理解できる体験が大切だとの指摘もあった。

一方では、教育を通して与えた情報によって子供が変化することに怖さを感じるとの発言もあった。また、大学生を中心に参加型エネルギー教育を実践された講師からは「学校教育と社会教育を連携・連続させ、教育は生涯続ける必要がある」との発言があったが、その通りだと思う。教育は無限である。

エネルギー教育に限らず、教育において最も大事なのは教師である。熱意は十分なのに、あまりに多忙で自分の思うような教育ができないでいる教師が大勢いるように思う。社会との連携を強化して、従来の「科目」には納まりきれないエネルギー教育を支援する必要がある。

（電気新聞、時評「ウェーブ」、2018年12月10日）

終の棲家

2019年6月下旬に引越しをした。生まれ故郷の坂出市の最初の家から数えて10番目の住処である。健康な状態で住む場所としてはおそらく最後の家になるだろう。

大学入学以来ほぼ50年間、カリフォルニアに滞在していた一時期を除いて、東京圏内（区内と郊外）に住んだ。自分の生活環境の変化とともに、この間の様々な街の変容にあらためて気づかされる。

米国から帰国後に都内のマンションから郊外の一戸建てに引越した。開発が始まったばかりの住宅地で、私の家庭と同じく、近所の住人の多くは夫婦と小学校入学前後の子供2人の4人家族だった。ここに30年近く住んだが、時代とともに子供たちは巣立ち、街は高齢化していった。今では高齢者向けの介護施設もある。

この街、佐倉市のユーカリが丘は郊外の住宅地としては成功例に入るだろう。今では、駅前にはタワーマンションが林立し、世代交代もそれなりに進んでいるようで、ショッピングセンターには人があふれている。ただし、老夫婦二人になった私どもは10年ほど前に東京のマンションにUターンした。

子供がいた頃には、昆虫採集やタラの芽採りなどができる郊外生活が魅力的だったが、開発が進むに連れて自然環境の恵みも衰えてきた。東京大学への異動を契機に都内のマンションを購入し、仮住まいとして利用していたが、本郷キャンパスと上野公園に挟まれた地帯は都心部としては緑が多く、生活も便利で気に入った。

RITEへ勤務するようになった10年ほど前からは、京都への往復も頻繁なことから、郊外の家も保持しつつ生活の拠点を池之端のマンションに移した。しかし、仮住まいのつもりの家なので手狭で、家財の多くは郊外の家に残したままだった。

そして、いよいよ今回の引越しである。多少広くはなったが、家財の整理のためには断捨離を覚悟せざるを得なかった。資料は可能な限りファイル化、内容を思い出せない本は中身を確認せずに処分した。15年前の本欄に書いた庭を荒らしていた「モグラ」は、今はホルマリン漬になっているが、捨てがたくて持ってきた。土地は建物付きで売却したが、この前見に行ったら家は新築になっていた。

今回の引越し前は本郷キャンパス向きだったが、今度は上野公園向きでスカイツリーが良く見える。それにしても、オリンピック開催を控えて東京は高層ビルの建設ラッシュだ。前の家からは冬場には雪を被った南アルプスがかすかに見えていたのだが、いつの間にかビルの陰になった。今の風景もこれからどうなるか分からない。

東京に来る前のことにも思いが巡る。90歳をとうに超えた母が独りで坂出にいるので最近は時々帰るが、坂出の街はすっかり寂れている。賑わっていたアーケード街は昼でも暗くて人影を見ることが少ない。ボールペン一つ買うにも駅前のショッピングセンターまで歩かねばならない。地方でも一極集中が進んでいるようだ。香川県でも高松はまだ活気がある。丸亀町（丸亀市ではなく高松市の中心商店街)は再開発の成功例と言われ、通りはきれいに整備され賑わいが戻っている。街の変容に50年の月日の長さを感じる。

まもなく自分の父親が死んだ年齢になる。人の命ほど確実に有限なものはない。今から50年後に私がこの世にいる確率は限りなくゼロに近い。終の棲家で人生の終わりへの覚悟を固めたい。

(電気新聞、時評「ウェーブ」、2019年7月12日)

9回目の世界エネルギー会議

世界エネルギー会議(WEC)は1924年に世界動力会議という名称で電気事業を中心に始まった歴史の長い大規模な国際会議で、1995年には東京で第16回大会が開催された。1968年のモスクワ大会以降は3年おきに開催されており、今年(2019年)のWECは9月に中東のアブダビで行われた。私は東京大会のプログラム委員会の幹事を務めた関係で、見学を兼ねて参加した第15回マドリッド大会から、治安情勢不安でやむなく欠席した2016年のイスタンブール大会を除いて、9回のWEC大会に参加した。

WEC大会では、開催国の元首級が開会式に出席し、国際エネルギー企業のトップや各国のエネルギー関係閣僚が登壇するのが通例で、展示会も含めば数万人が参加する。今回は交代したばかりのサウジアラビアのエネルギー大臣が登壇して注目された。

アブダビへは2度目の訪問だが、秋の終わりだった前回と異なり、9月初めの今回は暑いだけでなく大変湿気が多くて閉口した。会場やホテルは空調がよく効いていて背広にネクタイが丁度良いのだが、外に出ると一気にメガネが曇り、汗がにじみ出てくる。毎日1万歩のウォーキングを心掛けているのだが、広い会場内をマメに歩いてほぼ達成した。

会議の様子は今までとは少し異なっていてやや当惑した。毎日プレナリーと多くのパラレルセッションがあるのは通常通りだが、ヴィヴィッドな討論を喚起するためか、スライドがほとんど使われなかった。いくつかの会場ではイラストレーターが配置されていて、議論の進行を順次イラストにまとめて投影されるのだが、描き手の主観的理解が含まれていて違和感がある場合もあった。また、固有名詞や数値データなどが正確に把握できないことも多々あった。

私が登壇者として参加した「電力ネットワークの未来を拓くグリッドイノベーション」のセッションでもスライドの使用は不可、最初の3分程度のスピーチ(それもモデレータの質問に答える形)以外はパネリストや聴衆との討論という構成だった。英語が母国語でない参加者にはこの形式は疲れる。私が参加したセッションではロシアと中国からのパネリストには同時通訳が付いていた。なお、セッション名では「未来を拓く」と訳したが、原文は“Future-Proofing”で、ニュアンスは未来に耐えるということだろうか。

同伴者プログラムはアル・アインのオアシスや最近できたルーブル美術館(分館)の訪問など充実した内容だったらしいが、私の家内が会場に入ったのは参加者登録の時だけだった。開会式や閉会式などのセレモニーにも参加させてよかったのではないか。

前回の訪問時の印象を紹介した本欄(2011年12月)でも書いたように、漁業や真珠取りをしていた寒村から石油発見によって一気に豊かな大都市となったアブダビは、建築家の実験場のように奇妙な形の建物が至る所にある。今回泊まった大会会場に隣接するホテルもその一つで、途中から18度傾いたビルの中で空中に浮かんでいるような感覚が楽しめた。

ところで、今年の秋はWECの後も、東京のICEF(安倍首相が提唱した温暖化対策イノベーション会議)やバンコクでのASEANとの科学技術協力に関する国際会議に相次いで参加した。これらの国際会議に参加して印象に残ったのは女性の活躍である。WECの事務総長も今度は女性になる予定だ。

(電気新聞、時評「ウェーブ」、2019年10月31日)

40年ぶりのネパール

年末年始の休暇を利用してネパールを訪れた。実は1980年に途上国向けエネルギー技術協力の基礎調査でネパールへ行ったことがあり、約40年ぶりのネパール訪問である。当時はわが国と世界銀行の連携による資金協力でクリカニ第1水力発電所が建設中だった。クリカニ第1発電所の発電容量は6万kWだが、当時のネパール全体の発電規模に匹敵していたと思う。全くの偶然だが、今回の現地ガイドはクリカニ第2発電所に関与したとのことで当時のことを懐かしく思い出した。

ネパールの面積は北海道の2倍弱だが、現在の人口は約3000万人。40年前は1500万人弱だったので人口は倍増、電力需要も急増している。ネパールの水力資源は豊富だが、開発資金調達に加えてインドとの水利権問題もあって電源開発は進んでおらず、電力の相当量をインドから輸入している。エネルギー問題は資源賦存量だけでは語れない。今回も短時間だが何回も停電を経験した。

今回の旅の主目的はヒマラヤ観光で、エベレストやアンナプルナ、マナスルなど8000メートル級の山々はとても印象的だったが、カトマンズ盆地の古都観光も大変興味深かった。

40年前のネパールはビレンドラ国王(大学や空港に名前を残すトリブバン王の孫)が支配する王政だったが、2001年の王族殺害事件を経て、2008年から連邦民主共和制に移行している。ネパールでは紀元前から王朝国家が成立しており、紀元前6世紀にはルンビニで釈迦が生誕している。その後もカトマンズ盆地を中心に、いくつかの古代王朝が興隆し、15世紀にはマッラ王朝の起源となるバクタプル王国が成立する。

その後バクタプル王国からカトマンズ王国とパタン王国が分離して3国時代が続くが、18世紀初めにカトマンズ西方の山岳地帯で興隆したゴルカ王国に滅ぼされ、ネパール全域を支配するネパール王国(ゴルカ朝)が成立する。なお、ゴルカは英語なまりではグルカ。19世紀初めの英国との戦争でネパールは善戦して独立を維持するが、それを支えたのが屈強なグルカ兵である。英国はグルカ兵を傭兵として受け入れ、今では世界的傭兵として有名である。

今回はマッラ王朝時代の三都(カトマンズ、バクタプル、パタン)の宮廷広場を中心に観光した。いずれもネパール観光の資料によく出てくる3層や5層の寺院風の建物が立ち並んでいるが、2015年の地震で大きく損傷し、まだ復旧途上だった。意外だったのは三都の間の距離の近さ。カトマンズとパタンは千代田区と港区くらいの位置関係にあり、郊外にあるバクタプルも東に10数キロ程度しか離れていない。いずれの街も人であふれていたが、現地の人々の宗教に対する信仰は深く、シヴァやガネーシャ、ヴィシヌやハヌマーンなどの像が至る所にあって参拝する人が絶えない。

興味深く楽しい旅行だったが、大気汚染やゴミの散乱には閉口した。ネパール1国の人口は北欧5カ国の総人口よりも多い。山岳地帯の狭い国土に多くの人口を抱えるネパールの課題は、多くの途上国に共通する持続的発展実現に向けた課題の縮図である。ヒマラヤ山脈や数多い世界遺産などネパールの魅力的な観光資源を活かすためにも、エネルギーインフラだけでなく、道路や上下水道など社会インフラ全般の早急な整備が求められている。

（電気新聞、時評「ウェーブ」、2020年1月15日）

野生の思考

新型コロナ対策で在宅勤務が続いている。在宅時間が増えたので部屋の整理をしていると、昨年の転居で断捨離したつもりだったが、色々と懐かしいものが出てくる。書類については大事なものは全てファイルに保存したが、国際会議の名札や記念品、ザウルスなどの昔の電子機器や部品、特殊な大工道具など何に使うか当てのないものが沢山ある。活用しないのは可哀想に思えて、オブジェとして飾り物にしたり、現在部屋の中にあるものだけで屋外リモート撮影システムを作ったりしているとなかなか面白い。

このチマチマとした楽しさは何でかな？　と考えて、ブリコラージュを思い出した。ブリコラージュはフランスの文化人類学者レヴィストロースが著書『野生の思考』で提案した概念で、身の回りの余り物を使って、その本来の用途とは別に、当面役立つものを作ることを意味する。器用仕事とも呼ばれているが、要するに、基礎理論や設計無しで、既にあるものから臨機応変に工夫して役立つものを作ることである。

現代文明は科学的基礎の上で、目的達成ために必要な機能を実現するシステムを設計してモノを作る。レヴィストロースは、これを近代以降のエンジニアリング思考として「栽培された思考」と呼んだ。ブリコラージュは、近代以前に人類が編み出した「野生の思考」という訳だ。栽培された思考はトップダウン、野生の思考はボトムアップと言ってよいだろう。

野生の思考の良い点は、身の回りのものから自分ですべてを作れることである。部品を調達したり特殊な加工を外注する必要がない。そして何より、その過程自体が楽しめる。

私のブリコラージュの成果の一つは、国際会議の名札の吊りひもを使って作った家内のスマホホルダーのフックである。スマホがホルダーのサイズより少し大きくて元々ついていたフックが届かなかったのだが、ブリコラージュで解決した。当人がどう思っているかはともかく、私の満足度は高い。屋外リモート撮影システムは、使っていなかった小型カメラを、これまた使っていなかった古い三脚に取り付け、ブルートゥースでスマホに画像を送って部屋の中から見られるようにした。部品の全ては余りものである。ベランダから顔を乗り出しても見えづらかった東京駅方面が見えるようになった。東京湾花火が楽しみだ。

モノ作りにおけるブリコラージュの役割は趣味の範囲にとどまり、近代的な科学技術に経済的に負けると思っている。しかし、野生の思考は、社会的には今も重要性を失っていないと思う。今まで本欄でも何度か述べてきたが、人間社会は神話や宗教・思想など、客観的真理とは異なる虚構と言って差し支えない「物語」に支えられている。そして、「物語」は過去の「物語」の筋書きを素材にしたブリコラージュによる進化で成功してきたように思う。

わが国の宗教では神仏融合を図った本地垂迹説がブリコラージュの典型だ。本地垂迹説とは、わが国の伝統的な神が仏教の仏の化身とする解釈で、例えば、吉野の金峰山寺の蔵王権現は、釈迦如来、千手観音、弥勒菩薩が合体したものとされている。

真理を客観的に主張できない社会制度の設計では、既に受け入れられた制度やその背景となる思想を活用するブリコラージュという野生の思考が役に立つ。

（電気新聞、時評「ウェーブ」、2020年5月20日）

山地憲治　やまじ・けんじ

1950年、香川県生まれ。1972年、東京大学工学部原子力工学科卒業、1977年、東京大学大学院工学系研究科博士課程修了、工学博士。
1977年、（財）電力中央研究所に入所。1987年、経済研究所経済部エネルギー研究室長、1993年経済社会研究所・研究主幹。1994年、東京大学教授（大学院工学系研究科電気工学専攻）。2010年、（財）地球環境産業技術研究機構（RITE）理事・研究所長、2019年～、（公財）地球環境産業技術研究機構（RITE）副理事長・研究所長、現在に至る。

エネルギー新時代の夜明け

2020年8月29日　初版 発行

著　者　山地憲治
発行者　志賀正利
発行所　株式会社エネルギーフォーラム
〒104-0061 東京都中央区銀座5-13-3　電話 03-5565-3500
印刷・製本　中央精版印刷株式会社
ブックデザイン　エネルギーフォーラム デザイン室

定価はカバーに表示してあります。落丁・乱丁の場合は送料小社負担でお取り替えいたします。

©Kenji Yamaji 2020, Printed in Japan　ISBN978-4-88555-512-1